**Recette de
la page couverture :**

Mijoté de bœuf aux légumes, p. 34

Éditrice : Caty Bérubé

Directrice de production : Julie Doddridge
Directeur artistique : Éric Monette

Chef d'équipe rédaction/révision : Isabelle Roy
Chef d'équipe infographie : Lise Lapierre
Chef cuisinier : Richard Houde

Coordonnatrice à l'édition : Chantal Côté
Auteurs : Caty Bérubé, Suzanne Beaudry et Richard Houde
Réviseure : Émilie Lefebvre
Assistante à la rédaction : Anne-Marie Favreau
Concepteurs graphiques : François Desjardins, Marie-Christine Langlois,
Ariane Michaud-Gagnon et Isabelle Roy
Spécialiste en traitement d'images : Yves Vaillancourt
Photographes : Rémy Germain et Martin Houde
Stylistes culinaires : Louise Bouchard, Christine Morin et Julie Morin

Collaborateur : Pub Photo
Impression : Solisco

Ventes publicitaires

Directrice des ventes : Marie Turgeon
Coordonnateur : Simon Gagnon
Conseillers : Alexandra Leduc, Maryse Pomerleau
et Simon Robillard, tél. : 1 866 882-0091

Mise en marché

Directeur de la distribution : Marcel Bernatchez
Coordonnatrice abonnements et promotions : Diane Michaud
Conseillère au développement des affaires : Mylène Bernard
Édimestres : Julie Boudreau et Émilie Gagnon
Chef d'équipe entrepôt : Denis Rivard
Commis d'entrepôt : Yves Jobin et Normand Simard
Distribution : Éditions Pratico-Pratiques et Messageries ADP

Administration

Présidente : Caty Bérubé
Conseillère aux ressources humaines : Chantal St-Pierre
Directeur administratif : Ricky Baril
Commis à la comptabilité : Lucie Landry
Technicienne à la comptabilité : Amélie Dumont
Coordonnatrice de bureau : Josée Ouellet

Dépôt légal : 3ᵉ trimestre 2012
Bibliothèque nationale du Québec
Bibliothèque nationale du Canada
ISBN 978-2-89658-609-7

1685, boulevard Talbot, Québec (QC) G2N 0C6
Tél. : 418 877-0259 Sans frais : 1 866 882-0091
Téléc. : 418 849-4595
www.pratico-pratiques.com
Courriel : info@pratico-pratiques.com

Les plaisirs gourmands de Caty

Plats mijotés

et autres délices
bien mitonnés

Table des matières

Mes plaisirs gourmands

Ça sent si bon dans la maison !

Existe-t-il meilleure odeur que celle d'un bon petit plat qui mijote depuis quelques heures, embaumant l'air de la maison de ses délicieux effluves ? En plus de nous faire saliver, ce doux parfum agit comme un véritable baume pour l'âme.

Si les plats mijotés ont un incomparable pouvoir réconfortant, ils sont aussi très pratiques. Rassembler tous les ingrédients dans la mijoteuse le matin et être accueilli au retour du boulot par un repas tout chaud, quel bonheur ! La cuisson lente – qu'elle soit au four, sur la cuisinière ou à la mijoteuse électrique – a l'avantage de rendre la viande si tendre qu'elle se découpe à la fourchette. Cela nous donne plus de latitude quant au choix des découpes de viande, ce qui limite le coût du panier d'épicerie. Avantageux, n'est-ce pas ?

Et que dire des saveurs qui se combinent pour former le plus heureux des mariages ? Une vraie fête pour les papilles ! De quoi avoir hâte que les temps froids reviennent pour ressortir cocottes et mijoteuses.

Il ne vous manque que des idées de recettes pour vous lancer dans la préparation de savoureux mijotés ? Vous trouverez tout ce qu'il vous faut dans ce livre, car il renferme nos 100 meilleures recettes de plats mijotés. Toutes sont présentées en version traditionnelle (cuisson sur la cuisinière ou au four) et en version mijoteuse. Vous aurez l'embarras du choix !

Bonne dégustation !

Caty

Les mijotés, ces baumes pour le cœur

Quoi de plus réconfortant lorsque l'on revient d'une journée épuisante à braver les intempéries que de se laisser dorloter par un délicieux mijoté ? C'est ce que l'on appelle le *comfort food*, une nourriture qui nous revigore à l'extérieur comme à l'intérieur. La tendreté sous le palais, le mélange harmonieux des saveurs, le doux fumet… Décidément, les plats mijotés ont tout pour nous rappeler la cuisine de maman ! Découvrez comment préparer ces plats chaleureux à la perfection.

Les plats mijotés se déclinent en une grande variété de saveurs et d'ingrédients. La viande est bien sûr un incontournable, mais les légumes s'en accommodent aussi très bien. Ajoutés en fin de cuisson, les légumineuses et les poissons constituent un choix original. Si la cuisine mijotée s'utilise souvent pour les plats principaux, tels les pot-au-feu et les ragoûts, il ne faut surtout pas s'y limiter ! Par exemple, les desserts qui tolèrent la cuisson à chaleur humide, comme le tapioca et la compote de fruits, sont un véritable régal après leur passage dans la mijoteuse.

Le secret de la tendreté des mets mijotés ? Une cuisson lente à feu doux dans une bonne quantité de liquide, ce qui préserve la valeur nutritive des aliments tout en créant un heureux mariage de parfums. Autrement dit, les ingrédients mitonnent longtemps et s'imprègnent tranquillement des épices et de la sauce. Résultat : un mets savoureux à la chaleur réconfortante dont la texture est un ravissement pour le palais.

À CHACUN SA MÉTHODE

S'il est vrai que depuis belle lurette la cocotte est l'amie inestimable de tout bon cuisinier, la technologie s'allie aujourd'hui à la tradition pour nous présenter diverses versions améliorées. Si certains optent sans hésiter pour la pratique mijoteuse électrique, d'autres sont des inconditionnels de la marmite en fonte déposée sur la cuisinière ou placée au four. Pour les indécis, voici toutefois un petit aperçu des diverses possibilités.

1 LA FONTE

La réputation de cette bonne vieille cocotte d'antan n'est plus à faire. Idéale pour attendrir les aliments, elle convient autant au feu doux qu'au feu vif. Durabilité et étanchéité sont les deux mots à retenir pour en évaluer la qualité. Son bémol : l'entretien nécessaire.

2 LA FONTE ÉMAILLÉE

Plus pratique que son aïeule en raison de son revêtement antiadhésif inoxydable allant au lave-vaisselle, elle partage néanmoins beaucoup de ses qualités. C'est le matériau prisé par plusieurs marques européennes de renommée, telle Le Creuset.

3 L'ACIER INOXYDABLE

Abordable et résistant, ce matériau convient aux petits budgets. À rechercher : les marmites affichant l'indice 18/10, soit 18 parts de chrome pour 10 parts de nickel, un gage de solidité. Vérifiez aussi que les poignées peuvent aller au four !

4 LA FONTE D'ALUMINIUM

Un matériau très apprécié ! Souvent doté d'un couvercle en verre, ce type de cocotte permet de vérifier l'évolution de la cuisson. À noter : elle offre un rendement pratiquement semblable à celui de la fonte émaillée. De plus, sa légèreté et son fond antiadhésif facilitent son nettoyage.

5 LE TAJINE

Cousin exotique de la cocotte, le tajine est traditionnellement façonné avec de la terre cuite. On trouve cependant des versions occidentales comportant un plat en fonte émaillée. De quoi profiter de sa forme conique aidant à la circulation de la chaleur et de l'humidité sans renoncer à nos classiques !

1   **2**   **3**   **4**   **5**

Mijoteuses pratiques

On est doublement comblés lorsque le mijoté a cuit seul toute la journée et est prêt à savourer au retour du travail. Grâce aux mijoteuses électriques, c'est possible! Tout a commencé en 1970 avec le lancement de la célèbre marque Crock-Pot, par la compagnie Rival. Celle-ci se distinguait par l'insertion d'un pot en grès dans un récipient métallique ovale, système permettant de chauffer indirectement les aliments. Depuis, cet outil a gagné en popularité et s'est adapté pour répondre à notre rythme de vie effréné. Aujourd'hui, les mijoteuses rivalisent d'ingéniosité pour se tailler une place dans nos cuisines.

....

Voici quelques conseils pour vous guider dans l'achat de ce petit bijou.

MODÈLES MANUELS

Ces mijoteuses sont somme toute assez basiques puisqu'elles nécessitent que le cuisinier soit sur place pour arrêter la cuisson ou passer en mode réchaud. Elles plairont toutefois aux adeptes du traditionnel « Crock-Pot ».

MODÈLES PROGRAMMABLES

Pour avoir l'esprit tranquille et faire fonctionner sa mijoteuse sans être présent, il vaut mieux opter pour ce type d'appareil. Le réchaud remplace automatiquement la cuisson lorsque celle-ci est terminée et la température varie en fonction de la durée de cuisson sélectionnée. Il suffit de préparer les ingrédients la veille et de les placer dans la mijoteuse le matin, en choisissant la durée et l'intensité de cuisson, pour que le souper soit fin prêt au retour du boulot. On économise donc temps et énergie, deux denrées rares à notre époque !

MODÈLES NUMÉRIQUES

Le nec plus ultra des mijoteuses puisqu'il est possible de choisir un degré de température pour des périodes de temps prédéterminées. On peut donc planifier les détails pour obtenir un mijoté parfait ! Certains modèles sont même dotés d'une sonde thermoélectrique. Autre avantage : le récipient peut souvent s'utiliser sur la cuisinière, ce qui permet d'y saisir les aliments au préalable.

À l'aide ! Mon mijoté est trop…

SALÉ : ajoutez-y une pomme de terre que vous retirerez après la cuisson. Elle absorbera le surplus.

CLAIR : trois options s'offrent à vous. Lorsque le mijoté bout, ajoutez-y 10 ml (2 c. à thé) de fécule de maïs délayée dans un peu d'eau, 15 ml (1 c. à soupe) de beurre mélangés à 15 ml (1 c. à soupe) de farine ou encore un épaississant instantané du commerce.

ÉPAIS : ajoutez-y un peu de liquide, comme de l'eau ou du bouillon.

L'embarras du choix

Mijotée, la viande s'attendrit fabuleusement. Profitez-en pour vous attaquer à des pièces assez fermes. Essayez notamment :

- **Les rôtis d'épaule et de palette :** de bœuf, de porc ou de veau.

- **Les cubes à ragoût : précoupés, ils vous feront gagner en vitesse ! Variez avec les cubes à bourguignon.**

- **Les jarrets : pour un délicieux osso buco ! Tentez aussi le bœuf et l'agneau.**

- **Les côtes levées : optez pour les côtes de dos si vous voulez de bonnes portions.**

- **Les jambons et longes : de bonnes pièces de porc à essayer !**

- **Les poitrines et les cuisses : pour la volaille, ils constituent d'excellents choix.**

- **Les gigots et les épaules : ces morceaux conviennent à merveille pour l'agneau.**

Le saviez-vous ?

La plupart des recettes préparées sur la cuisinière ou au four peuvent être adaptées pour la cuisson à la mijoteuse. Voici quelques petits trucs pour éviter les bouillies.

- De préférence, saisissez la viande avant de la faire mijoter. Choisissez ensuite l'intensité de cuisson la plus basse de la mijoteuse pour compenser la durée nécessaire. Les pièces de viande y séjourneront de 4 à 16 heures selon leur taille et leur tendreté.

- Diminuez de moitié la quantité de liquide. Comme il ne peut s'évaporer à la mijoteuse, mieux vaut prévenir que guérir !

- Évitez de soulever le couvercle de la mijoteuse, car cela a pour effet d'évacuer la vapeur et de prolonger la cuisson de 20 minutes.

- Étagez les aliments selon le temps de cuisson nécessaire. Par exemple, placez les légumes-racines au fond, la viande au centre et les légumes tendres sur le dessus.

Bols
de réconfort

Ah… Le fumet de la bonne soupe

qui mijote ! Les pages qui suivent

sont une invitation au bonheur :

celui de plonger la cuillère dans un

savoureux et rassasiant mélange,

plein d'ingrédients cuits à point.

Voici des recettes remplies

de la promesse du réconfort,

pour apaiser votre estomac et

votre âme. Ça goûte chez nous,

tout simplement !

Minestrone

Préparation : **20 minutes** • Cuisson : **1 heure** • Quantité : **2,5 litres (10 tasses)**

30 ml (2 c. à soupe) de beurre

1 oignon haché

1 poireau émincé

2 carottes coupées en dés

2 branches de céleri coupées en dés

1,5 litre (6 tasses) de bouillon de poulet

¼ de chou vert émincé

4 tomates coupées en dés

250 ml (1 tasse) de haricots blancs cuits

Sel et poivre au goût

6 tranches de pancetta émincées

10 haricots verts coupés en morceaux

1 courgette coupée en dés

10 ml (2 c. à thé) d'ail haché

125 ml (½ tasse) de parmesan râpé

125 ml (½ tasse) d'orzo

30 ml (2 c. à soupe) de basilic frais émincé

1. Dans une casserole, faire fondre le beurre à feu moyen. Faire revenir l'oignon et le poireau 3 minutes, sans les faire dorer.

2. Ajouter les carottes et le céleri. Cuire 2 minutes.

3. Verser le bouillon et porter à ébullition.

4. Ajouter le chou, les tomates, les haricots blancs, le sel et le poivre. Laisser mijoter 45 minutes à feu doux.

5. Ajouter le reste des ingrédients. Prolonger la cuisson de 15 minutes.

 À LA MIJOTEUSE
Suivre les étapes 1 et 2. Transférer la préparation dans la mijoteuse. Verser 750 ml (3 tasses) de bouillon. Ajouter les autres légumes, la pancetta et l'ail. Couvrir et cuire à faible intensité 6 heures. Cuire l'orzo *al dente* et ajouter dans la mijoteuse avec le reste des ingrédients. Poursuivre la cuisson à haute intensité 15 minutes.

Le saviez-vous ?
Vous avez dit pancetta ?

Cette savoureuse charcuterie d'origine italienne est préparée à partir de poitrine de porc salée et séchée pendant trois mois puis enroulée de manière à former un gros saucisson. D'apparence semblable à celle du bacon, elle est la plupart du temps découpée en fines tranches et peut se déguster froide ou frite. La pancetta rehausse agréablement les soupes, les pizzas et les sauces. Vedette des pâtes à la carbonara, on la retrouve dans les supermarchés, dans la section des charcuteries fines.

Chaudrée de la mer

Préparation : **20 minutes** • Cuisson : **10 minutes** • Quantité : **de 6 à 8 portions**

30 ml (2 c. à soupe) d'huile d'olive

1 oignon haché

2 branches de céleri coupées en dés

1 carotte coupée en dés

10 ml (2 c. à thé) d'ail haché

10 champignons coupés en deux

15 ml (1 c. à soupe) de farine

500 ml (2 tasses) de fumet de poisson ou de bouillon de légumes

2 pommes de terre coupées en cubes

250 ml (1 tasse) de maïs en grains surgelés, rincés et égouttés

1 paquet de filets de poisson blanc surgelés de 400 g, coupés en cubes

1 boîte de palourdes de 142 g, rincées et égouttées

125 ml (½ tasse) de crème à cuisson 15 %

Sel et poivre au goût

1 feuille de laurier

1. Dans une casserole, chauffer l'huile à feu moyen. Faire dorer l'oignon 2 minutes.

2. Ajouter le céleri, la carotte, l'ail et les champignons. Cuire de 2 à 3 minutes.

3. Saupoudrer de farine et remuer. Ajouter le reste des ingrédients. Prolonger la cuisson de 5 à 6 minutes, jusqu'à ce que le poisson soit cuit.

 À LA MIJOTEUSE

Suivre les étapes 1 et 2. Saupoudrer de farine et remuer. Transférer la préparation dans la mijoteuse. Ajouter le reste des ingrédients, à l'exception du poisson et des palourdes. Verser 875 ml (3 ½ tasses) de lait. Mélanger et couvrir. Cuire à faible intensité de 6 à 8 heures ou à intensité élevée de 3 à 4 heures. Pendant ce temps, laisser décongeler les cubes de poisson au réfrigérateur. Éponger les cubes de poisson et ajouter dans la mijoteuse avec les palourdes. Prolonger la cuisson de 1 heure à intensité élevée.

J'aime aussi...

Avec du saumon !

Cette recette peut tout aussi bien être préparée avec du poisson frais ou avec d'autres variétés de poisson. Entre autres, les filets de saumon sont une option délicieuse !

Soupe aux légumes et à l'orge

Préparation : **25 minutes** • Cuisson : **35 minutes** • Quantité : **de 6 à 8 portions**

30 ml (2 c. à soupe) d'huile d'olive

1 oignon haché

2 carottes coupées en dés

10 ml (2 c. à thé) d'ail haché

2 branches de céleri
coupées en dés

3 pommes de terre
coupées en dés

1 poireau émincé

125 ml (½ tasse) d'orge perlé

1 boîte de tomates en dés
de 796 ml

1,5 litre (6 tasses) de bouillon
de légumes

1 à 2 pincées de muscade

1 feuille de laurier

Sel et poivre au goût

1. Dans une casserole, chauffer l'huile à feu moyen. Faire cuire l'oignon avec les carottes, l'ail et le céleri.

2. Ajouter le reste des ingrédients. Porter à ébullition.

3. Cuire à feu moyen de 35 à 40 minutes.

 À LA MIJOTEUSE
Suivre l'étape 1 puis déposer tous les ingrédients dans la mijoteuse. Mélanger et couvrir. Cuire à basse intensité de 8 à 10 heures ou à intensité élevée de 4 à 5 heures.

J'aime parce que...
Ça me rappelle la soupe de ma grand-mère !

Déjà incorporée depuis des décennies aux soupes de nos aïeules, l'orge fournit un apport nutritif intéressant, puisqu'elle contient entre autres des fibres et des antioxydants. Pas étonnant que la bière ait déjà été considérée comme un aliment ! Sachez que cette céréale se présente sous deux formes. L'orge mondé, soit le grain complet, est plus nourrissant, car on n'en a retiré que l'enveloppe. L'orge perlé comporte moins d'éléments nutritifs puisqu'il a été blanchi artificiellement, ce qui élimine le son et le germe.

Soupe campagnarde au poulet

Préparation : **25 minutes** • Cuisson : **35 minutes** • Quantité : **de 6 à 8 portions**

15 ml (1 c. à soupe)
d'huile d'olive
....
450 g (1 lb) de poulet
sans peau et coupé
en cubes
....
1 oignon haché
....
½ poireau émincé
....
2 branches de céleri
coupées en dés
....
½ rutabaga (navet jaune)
moyen coupé en dés
....
2 pommes de terre
coupées en dés
....

2 carottes coupées
en dés
....
1 boîte de haricots blancs
de 540 ml, rincés et
égouttés
....
125 ml (½ tasse) de riz
étuvé à grains longs
....
5 ml (1 c. à thé) de thym
frais haché
....
1,5 litre (6 tasses)
de bouillon de poulet
....
Sel et poivre au goût
....
30 ml (2 c. à soupe)
de persil frais haché
....

1. Dans une casserole, chauffer l'huile
à feu moyen. Faire dorer les cubes
de poulet sur toutes leurs faces.

2. Ajouter le reste des ingrédients,
à l'exception du persil.

3. Couvrir et cuire à feu moyen
de 35 à 40 minutes.

4. Au moment de servir, garnir
de persil haché.

 À LA MIJOTEUSE
Suivre l'étape 1. Déposer tous
les ingrédients dans la mijoteuse,
à l'exception du persil, en utilisant 750 ml
(3 tasses) de bouillon. Mélanger et couvrir.
Cuire à basse intensité de 6 à 8 heures
ou à intensité élevée de 3 à 4 heures. Au
moment de servir, garnir de persil haché.

Soupe aux pois

**Préparation : 30 minutes • Trempage : 12 heures
Cuisson : 2 heures • Quantité : de 6 à 8 portions**

180 ml (¾ de tasse)
de pois jaunes entiers
....
80 ml (⅓ de tasse)
de pois jaunes cassés
....
1 carotte
....
1 oignon
....
½ branche de céleri
....
115 g (¼ de lb) de lard
salé coupé en dés
....
1 feuille de laurier
....

2,5 ml (½ c. à thé)
de thym
....
5 ml (1 c. à thé)
de sarriette
....
15 ml (1 c. à soupe)
d'herbes salées
....
Sel et poivre au goût
....
Persil frais et feuilles
de céleri hachées
au goût
....

1. Dans une passoire, rincer les pois sous l'eau froide. Égoutter.

2. Déposer les pois dans une grande casserole. Ajouter 3 litres (12 tasses) d'eau froide et laisser tremper 12 heures.

3. Couper la carotte, l'oignon et le céleri en dés. Déposer dans une casserole.

4. Ajouter le reste des ingrédients dans la casserole et porter à ébullition.

5. Couvrir et cuire à feu doux de 2 heures à 2 heures 30 minutes. Saler et poivrer.

À LA MIJOTEUSE

Suivre les étapes 1 et 2 en utilisant 1,5 litre (6 tasses) d'eau. Suivre l'étape 3. Déposer tous les ingrédients dans la mijoteuse. Couvrir et cuire 6 heures à faible intensité.

Soupe aux poivrons, tomates et bœuf

Préparation : 25 minutes • **Cuisson : 35 minutes** • **Quantité : de 6 à 8 portions**

125 ml (½ tasse) de farine

30 ml (2 c. à soupe)
de paprika

10 ml (2 c. à thé) de thym
frais haché

5 ml (1 c. à thé)
de romarin frais haché

Sel et poivre au goût

450 g (1 lb) de cubes
de bœuf à ragoût
coupés en quatre

30 ml (2 c. à soupe)
d'huile d'olive

2 carottes coupées
en dés

1 oignon coupé en dés

3 poivrons rouges
coupés en dés

1 boîte de tomates
en dés de 796 ml

1 feuille de laurier

10 ml (2 c. à thé) d'ail
haché

2 litres (8 tasses)
de bouillon de bœuf

1. Dans un grand bol, mélanger la farine avec le paprika, les fines herbes et l'assaisonnement.

2. Ajouter les dés de bœuf et remuer afin de les fariner. Secouer les dés afin d'enlever l'excédent de farine et déposer dans une assiette.

3. Dans une casserole, chauffer l'huile à feu moyen. Faire dorer les cubes de bœuf.

4. Ajouter les carottes et l'oignon. Cuire de 2 à 3 minutes.

5. Incorporer le reste des ingrédients. Couvrir et laisser mijoter à feu doux de 35 à 40 minutes.

 À LA MIJOTEUSE
Suivre les étapes 1 à 4. Transférer la préparation dans la mijoteuse avec le reste des ingrédients, en utilisant 500 ml (2 tasses) de bouillon. Couvrir et cuire à faible intensité de 6 à 7 heures.

Potage aux carottes, cari et gingembre

Préparation : **20 minutes** • Cuisson : **30 minutes** • Quantité : **de 6 à 8 portions**

3 pommes Gala

3 carottes

2 patates douces

30 ml (2 c. à soupe)
d'huile d'olive

5 ml (1 c. à thé)
de curcuma

2 oignons hachés

15 ml (1 c. à soupe)
d'ail haché

1,5 litre (6 tasses)
de bouillon de poulet

15 ml (1 c. à soupe)
de cari

15 ml (1 c. à soupe)
de gingembre haché

Sel et poivre au goût

1. Peler les pommes, les carottes et les patates douces puis les couper en cubes.

2. Dans une casserole, chauffer l'huile et le curcuma à feu moyen. Saisir les oignons et l'ail de 1 à 2 minutes.

3. Ajouter le reste des ingrédients et porter à ébullition. Couvrir et laisser mijoter à feu doux de 30 à 35 minutes, jusqu'à ce que les légumes soient tendres.

4. À l'aide du mélangeur électrique, réduire la préparation en purée jusqu'à l'obtention d'une consistance homogène.

 À LA MIJOTEUSE
Suivre les étapes 1 et 2. Déposer tous les ingrédients dans la mijoteuse, en utilisant 750 ml (3 tasses) de bouillon. Couvrir et cuire à faible intensité de 6 à 7 heures. Suivre l'étape 4.

Passion viande rouge

Votre cœur s'emballe à l'idée de savourer un rôti de bœuf ? Vous craquez pour la chair tendre du veau, encore plus fondante après être passée dans la mijoteuse ? Et que dire d'un bon bœuf bourguignon… Cette section met en vedette de grands classiques de notre froide contrée, bourrés de protéines et de vitamines ! Passionnés de viande rouge, à vos mijoteuses !

Bouilli de bœuf aux légumes

Préparation : **25 minutes** • Cuisson : **2 heures 10 minutes** • Quantité : **de 4 à 6 portions**

6 à 8 pommes de terre rouges moyennes

2 carottes coupées en morceaux

¼ de courge poivrée

2 panais coupés en morceaux

1 oignon haché

30 ml (2 c. à soupe) d'huile de canola

1 kg (2,2 lb) de cubes de bœuf à ragoût

60 ml (¼ de tasse) de vinaigre de vin rouge

60 ml (¼ de tasse) de cassonade

1 tige de thym

1 feuille de laurier

750 ml (3 tasses) de bouillon de bœuf

3 clous de girofle

Sel et poivre au goût

60 ml (¼ de tasse) de farine

75 ml (5 c. à soupe) d'eau froide

1. Dans une casserole, déposer les pommes de terre, les carottes, la courge, les panais et l'oignon.

2. Dans une poêle, chauffer l'huile à feu moyen. Faire dorer la viande sur toutes ses faces. Déposer sur les légumes.

3. Retirer l'excédent de gras de cuisson de la poêle. Dans la poêle, porter à ébullition le vinaigre avec la cassonade. Transférer dans la casserole.

4. Ajouter les fines herbes, le bouillon, les clous de girofle et l'assaisonnement. Couvrir et laisser mijoter à faible intensité de 2 à 3 heures.

5. Délayer la farine dans l'eau froide et verser ce mélange dans la casserole en remuant. Prolonger la cuisson de 10 à 15 minutes.

 À LA MIJOTEUSE

Couper les légumes en cubes égaux et déposer dans le fond de la mijoteuse. Dans une poêle, faire dorer le bœuf dans l'huile chaude. Déposer les cubes de viande sur les légumes et saupoudrer de farine en remuant légèrement. Verser 30 ml (2 c. à soupe) de vinaigre et 375 ml (1 $\frac{1}{2}$ tasse) de bouillon. Incorporer les autres ingrédients, à l'exception du thym. Couvrir et laisser mijoter à faible intensité de 7 à 9 heures. Ajouter le thym et prolonger la cuisson de 1 heure.

Le saviez-vous ?
Des légumes cuits à point !

Comment obtenir une texture parfaite ? Déposez au fond de la mijoteuse les légumes-racines, car ils nécessitent un temps de cuisson plus long que la viande. Quant aux légumes plus tendres, comme les poivrons et les pois mange-tout, placez-les sur la viande pour qu'ils soient moins exposés à la chaleur. Pensez aussi à couper les aliments en morceaux égaux de moins de 2,5 cm (1 po) pour uniformiser la cuisson.

Rôti de palette à l'oignon et à la moutarde

Préparation : 15 minutes • Cuisson : 2 heures • Quantité : de 4 à 6 portions

30 ml (2 c. à soupe)
de moutarde à l'ancienne
....
30 ml (2 c. à soupe)
de moutarde de Dijon
....
1 sachet de soupe
à l'oignon de 55 g
....
60 ml (¼ de tasse)
de beurre ramolli
....
10 ml (2 c. à thé) de thym
frais haché ou 5 ml (1 c. à thé)
de thym séché
....
15 ml (1 c. à soupe) d'huile
de canola
....
900 g (2 lb) de rôti de palette
de bœuf désossé
....

1. Préchauffer le four à 180 °C (350 °F).

2. Dans un bol, mélanger les moutardes avec le contenu du sachet de soupe à l'oignon, le beurre et le thym.

3. Dans une poêle, chauffer l'huile à feu moyen. Saisir le rôti de 1 à 2 minutes de chaque côté.

4. Déposer la viande sur une grande feuille de papier d'aluminium et badigeonner généreusement avec la préparation à la moutarde. Plier la feuille de manière à former une papillote hermétique et déposer dans un plat allant au four.

5. Cuire au four de 2 heures à 2 heures 30 minutes, jusqu'à ce que la viande se défasse facilement à la fourchette.

À LA MIJOTEUSE

Suivre les étapes 2 et 3. Badigeonner le rôti avec la préparation à la moutarde. Déposer la viande dans la mijoteuse. Verser 125 ml (½ tasse) de bouillon de bœuf. Couvrir et cuire de 8 à 10 heures à faible intensité.

J'aime avec...

Légumes-racines grillés

Préchauffer le four à 180 °C (350 °F). Couper 4 carottes et 4 panais en deux sur la longueur. Couper 1 oignon rouge et 2 patates douces en quartiers. Couper 8 pommes de terre grelots en deux. Dans un bol, mélanger les légumes avec 30 ml (2 c. à soupe) d'huile d'olive. Saler et poivrer. Répartir sur une plaque de cuisson tapissée d'une feuille de papier parchemin. Cuire au four de 25 à 30 minutes, en retournant les légumes à mi-cuisson.

Bœuf Stroganoff aux poivrons et carottes

Préparation : **20 minutes** • Cuisson : **2 heures** • Quantité : **de 4 à 6 portions**

900 g (2 lb) de cubes
de bœuf à ragoût
....
30 ml (2 c. à soupe)
d'huile de canola
....
1 oignon haché
....
16 petits champignons
....
5 ml (1 c. à thé) d'ail haché
....
60 ml (¼ de tasse) de farine
....
750 ml (3 tasses) de bouillon
de bœuf
....
15 ml (1 c. à soupe) de pâte
de tomates
....
5 ml (1 c. à thé) de thym
frais haché
....
Sel et poivre au goût
....
3 carottes émincées
....
1 poivron rouge coupé en dés
....
80 ml (⅓ de tasse) de crème
à cuisson 15 %
....

1. Assécher la viande à l'aide de papier absorbant. Dans une casserole à fond épais ou dans une cocotte, chauffer l'huile à feu moyen-vif. Saisir quelques cubes de viande à la fois, de 2 à 3 minutes, jusqu'à ce que chacune de leurs faces soit dorée. Déposer les cubes dans une assiette.

2. Retirer l'excédent de gras de la casserole. À feu moyen, faire revenir l'oignon avec les champignons et l'ail de 2 à 3 minutes.

3. Remettre la viande dans la casserole, puis saupoudrer de farine. Remuer et ajouter les autres ingrédients, à l'exception de la crème. Porter à ébullition en raclant les parois de la casserole à l'aide d'une cuillère de bois afin de détacher les sucs de cuisson.

4. Couvrir et laisser mijoter à feu doux de 2 heures à 2 heures 30 minutes, jusqu'à ce que la viande se défasse à la fourchette.

5. Verser la crème et prolonger la cuisson de 5 minutes.

À LA MIJOTEUSE

Déposer les carottes dans la mijoteuse. Suivre les étapes 1 et 2. Transférer les cubes de bœuf, les légumes saisis et le poivron dans la mijoteuse. Ajouter la farine. Remuer et verser 375 ml (1 ½ tasse) de bouillon de bœuf. Ajouter les autres ingrédients, à l'exception de la crème. Couvrir et cuire à faible intensité de 8 à 10 heures. Verser la crème et prolonger la cuisson de 5 minutes.

Mijoté de bœuf aux légumes

Préparation : **30 minutes** • Cuisson : **2 heures** • Quantité : **de 6 à 8 portions**

1 kg (2,2 lb) de cubes
de bœuf à ragoût
....
30 ml (2 c. à soupe)
d'huile de canola
....
2 oignons hachés
....
15 ml (1 c. à soupe) d'ail haché
....
2 branches de céleri
coupées en dés
....
2 tiges de thym
....
1 feuille de laurier
....
45 ml (3 c. à soupe) de farine
....
1,25 litre (5 tasses) de bouillon
de bœuf
....
60 ml (¼ de tasse)
de pâte de tomates
....
Sel et poivre au goût
....
6 carottes
....
6 pommes de terre
....

1. Préchauffer le four à 190 °C (375 °F).

2. Assécher la viande à l'aide de papier absorbant. Dans une casserole allant au four ou dans une cocotte, chauffer l'huile à feu moyen-vif. Saisir quelques cubes de viande à la fois, de 2 à 3 minutes, jusqu'à ce que chacune de leurs faces soit dorée. Déposer les cubes dans une assiette.

3. Retirer l'excédent de gras de la casserole. À feu moyen, faire revenir les oignons de 1 à 2 minutes.

4. Remettre la viande dans la casserole. Ajouter l'ail, le céleri et les fines herbes.

5. Saupoudrer de farine et remuer. Verser le bouillon ct la pâtc de tomates. Assaisonner. Chauffer jusqu'aux premiers frémissements en raclant les parois de la casserole à l'aide d'une cuillère de bois afin de détacher les sucs de cuisson.

6. Couvrir et cuire au four 1 heure.

7. Ajouter les carottes et les pommes de terre dans la casserole. Couvrir et cuire 1 heure, jusqu'à ce que la viande se défasse à la fourchette.

Le saviez-vous ?

Bien saisir des cubes de bœuf

Pour éviter que la viande ne bouillonne, saisissez seulement quelques cubes à la fois dans un peu d'huile de canola ou de tournesol, en les espaçant bien. Vous éviterez ainsi de faire descendre la température de cuisson : en effet, une température trop basse permet de libérer le jus de la chair, ce qui cause l'indésirable bouillonnement.

 À LA MIJOTEUSE
Déposer dans la mijoteuse les morceaux de carottes, de pommes de terre et les dés de céleri. Suivre l'étape 2. Une fois les cubes de viande bien dorés, transférer dans la mijoteuse. Suivre l'étape 3, puis ajouter l'ail et les fines herbes. Saupoudrer de farine. Remuer puis verser 625 ml (2 ½ tasses) de bouillon et la pâte de tomates. Saler et poivrer. Chauffer jusqu'aux premiers frémissements en raclant les parois de la casserole à l'aide d'une cuillère de bois. Transférer la préparation dans la mijoteuse. Couvrir et cuire à faible intensité de 8 à 10 heures.

Mijoté de veau au fenouil et olives vertes

Préparation : **15 minutes** • Cuisson : **1 heure** • Quantité : **de 4 à 6 portions**

900 g (2 lb) de cubes de veau à mijoter

30 ml (2 c. à soupe) d'huile d'olive

16 oignons perlés

60 ml (¼ de tasse) de farine

125 ml (½ tasse) de vin blanc sec

2 contenants de fond de veau de 450 ml chacun

1 tige de thym

1 feuille de laurier

Sel et poivre au goût

12 olives vertes

10 ml (2 c. à thé) d'ail haché

2 bulbes de fenouil coupés en morceaux

1. Éponger les cubes de veau à l'aide de papier absorbant. Dans une casserole, chauffer l'huile à feu vif. Faire dorer les cubes de veau sur toutes les faces.

2. Faire dorer les oignons. Saupoudrer de farine et remuer.

3. Ajouter le vin blanc, le fond de veau, les fines herbes et l'assaisonnement. Faire chauffer jusqu'aux premiers frémissements.

4. Ajouter les olives, l'ail et le fenouil.

5. Couvrir et cuire à feu doux de 1 heure à 1 heure 30 minutes, jusqu'à ce que la viande soit tendre.

 À LA MIJOTEUSE
Suivre les étapes 1 et 2. Déposer les légumes puis la viande dans la mijoteuse. Verser 60 ml (¼ de tasse) de vin blanc, 1 contenant de 450 ml de fond de veau, le sel et le poivre. Couvrir et cuire 5 heures à faible intensité. Ajouter le thym et le laurier. Poursuivre la cuisson 1 heure.

Mijoté de veau à la hongroise

Préparation : **25 minutes** • Cuisson : **1 heure** • Quantité : **4 portions**

30 ml (2 c. à soupe)
de farine

755 g (1 ⅔ lb) de cubes
de veau à ragoût

30 ml (2 c. à soupe)
d'huile de canola

1 oignon haché

1 poivron vert coupé
en cubes

2 carottes coupées
en rondelles

3 tomates
coupées en dés

5 ml (1 c. à thé)
d'ail haché

500 ml (2 tasses)
de bouillon de légumes

30 ml (2 c. à soupe)
de paprika

1 feuille de laurier

Sel et poivre au goût

1. Dans un sac de plastique refermable, verser la farine. Fariner quelques cubes de veau à la fois. Secouer les cubes pour retirer l'excédent de farine. Déposer dans une assiette.

2. Préchauffer le four à 205 °C (400 °F).

3. Dans une poêle, chauffer l'huile à feu moyen-vif. Faire dorer les cubes de veau sur toutes les faces.

4. Déposer l'oignon, le poivron et les carottes dans un plat allant au four. Ajouter la viande et le reste des ingrédients.

5. Cuire au four de 1 heure à 1 heure 30 minutes.

À LA MIJOTEUSE
Suivre les étapes 1 et 3. Déposer les légumes dans la mijoteuse. Ajouter la viande et verser 250 ml (1 tasse) de bouillon. Ajouter le reste des ingrédients. Couvrir et cuire à faible intensité de 6 à 7 heures.

Mijoté de veau au marsala

Préparation : **30 minutes** • Cuisson : **2 heures 15 minutes** • Quantité : **4 portions**

755 g (1 ²⁄₃ lb) de cubes
de veau à ragoût

30 ml (2 c. à soupe)
d'huile d'olive

16 oignons perlés

10 ml (2 c. à thé)
d'ail haché

30 ml (2 c. à soupe)
de farine

45 ml (3 c. à soupe)
de pâte de tomates

250 ml (1 tasse)
de marsala

750 ml (3 tasses) de
bouillon de poulet

250 ml (1 tasse)
de mini-carottes

1 bulbe de fenouil
coupé en quatre

8 à 12
champignons

10 ml (2 c. à thé)
de thym frais haché

1 feuille de laurier

Sel et poivre au goût

125 ml (½ tasse)
de mascarpone

1. Préchauffer le four à 180 °C (350 °F).

2. Assécher la viande à l'aide de papier absorbant. Dans une cocotte, chauffer l'huile à feu moyen-vif. Faire dorer les cubes de viande et les déposer dans une assiette.

3. Dans la cocotte, ajouter les oignons et l'ail. Cuire de 1 à 2 minutes. Ajouter la farine et la pâte de tomates. Remuer.

4. Verser le marsala et le bouillon. Porter à ébullition.

5. Remettre la viande dans la casserole. Ajouter les légumes, les fines herbes et l'assaisonnement. Couvrir et cuire au four 2 heures, jusqu'à ce que la chair de la viande se défasse à la fourchette.

6. Incorporer le mascarpone et prolonger la cuisson de 15 minutes.

 À LA MIJOTEUSE

Déposer les carottes et le fenouil dans la mijoteuse. Suivre l'étape 2. Transférer la viande dans la mijoteuse. Suivre l'étape 3, puis ajouter dans la cocotte 125 ml (½ tasse) de marsala et 375 ml (1 ½ tasse) de bouillon. Porter à ébullition. Transférer la préparation dans la mijoteuse. Ajouter les champignons, les fines herbes et l'assaisonnement. Couvrir et cuire à faible intensité de 6 à 7 heures. Ajouter le mascarpone et prolonger la cuisson de 10 minutes à haute intensité.

Casserole de veau aux pommes et à la courge d'automne

Préparation : **20 minutes** • Cuisson : **1 heure** • Quantité : **4 portions**

2 pommes Cortland

605 g (1 ⅓ lb) de cubes de veau à ragoût

30 ml (2 c. à soupe) d'huile d'olive

45 ml (3 c. à soupe) de farine

1 oignon haché

15 ml (1 c. à soupe) d'ail haché

2 carottes coupées en rondelles

½ courge musquée (Butternut) coupée en dés

5 ml (1 c. à thé) de thym frais haché

1 feuille de laurier

Sel et poivre au goût

125 ml (½ tasse) de vin blanc

750 ml (3 tasses) de bouillon de légumes

250 ml (1 tasse) de jus d'orange

30 ml (2 c. à soupe) de zestes d'orange

1. Peler et couper les pommes en quartiers.

2. Assécher la viande à l'aide de papier absorbant. Dans une cocotte, chauffer l'huile à feu moyen-vif. Faire dorer les cubes de viande.

3. Saupoudrer de farine et remuer. Ajouter les pommes et le reste des ingrédients. Porter à ébullition.

4. Couvrir et laisser mijoter à feu doux 1 heure, jusqu'à ce que la viande se défasse à la fourchette.

 À LA MIJOTEUSE

Déposer les carottes et la courge dans la mijoteuse. Suivre les étapes 1 et 2. Transférer la viande dans la mijoteuse. Dans la cocotte, ajouter les pommes et le reste des ingrédients. Saupoudrer de farine. Porter à ébullition. Transférer la préparation dans la mijoteuse. Couvrir et cuire à faible intensité de 6 à 7 heures.

Rôti de bœuf à la bière

Préparation : **25 minutes** • Cuisson : **2 heures** • Quantité : **4 portions**

500 ml (2 tasses) de
bouillon de bœuf

30 ml (2 c. à soupe)
de mélasse

250 ml (1 tasse) de
bière brune

15 ml (1 c. à soupe)
de moutarde de Dijon

15 ml (1 c. à soupe)
de pâte de tomates

3 carottes coupées
en morceaux

20 oignons perlés

900 g (2 lb) de rôti de
côtes croisées de bœuf

15 ml (1 c. à soupe)
d'ail haché

5 ml (1 c. à thé) de thym
frais haché

1 feuille de laurier

Sel et poivre au goût

1. Dans une casserole, verser le bouillon
de bœuf.

2. Ajouter le reste des ingrédients en prenant
soin de disposer les légumes autour du rôti.

3. Cuire à feu doux de 2 à 3 heures.

 À LA MIJOTEUSE
Dans un bol, fouetter 250 ml
(1 tasse) de bouillon avec la
mélasse, la bière, la moutarde et la pâte
de tomates. Déposer les légumes dans la
mijoteuse et le rôti sur le dessus. Verser
la préparation à la bière dans la mijoteuse.
Ajouter le reste des ingrédients. Couvrir
et cuire à faible intensité de 8 à 10 heures.

Osso buco au citron et câprons

Préparation : **25 minutes** • Cuisson : **1 heure 30 minutes** • Quantité : **4 portions**

30 ml (2 c. à soupe)
de farine

4 à 6 jarrets de veau

30 ml (2 c. à soupe)
d'huile d'olive

1 oignon haché

2 carottes coupées
en dés

2 branches de céleri
coupées en dés

15 ml (1 c. à soupe)
d'ail haché

375 ml (1 ½ tasse)
de bouillon

60 ml (¼ de tasse)
de jus de citron

15 ml (1 c. à soupe)
de zestes de citron

250 ml (1 tasse)
de vin blanc

5 ml (1 c. à thé) de
romarin frais haché

5 ml (1 c. à thé)
de thym frais haché

Sel et poivre au goût

12 câprons

8 feuilles de
basilic hachées

1. Fariner les jarrets. Préchauffer le four
à 190 °C (375 °F).

2. Dans une cocotte, chauffer 15 ml (1 c. à
soupe) d'huile à feu moyen-élevé. Faire dorer
les jarrets de chaque côté. Déposer dans une
assiette.

3. Jeter le gras de cuisson et verser le reste
de l'huile dans la cocotte. À feu moyen, faire
revenir l'oignon avec les carottes, le céleri et
l'ail de 3 à 4 minutes, sans les faire dorer.

4. Ajouter le reste des ingrédients, à l'exception
des câprons et du basilic. Chauffer jusqu'aux
premiers bouillons. Remettre les jarrets dans
la cocotte. Couvrir et cuire 1 heure au four.

5. Ajouter les câprons et le basilic. Prolonger
la cuisson de 30 minutes.

 À LA MIJOTEUSE

En utilisant une poêle, suivre les étapes 1 à 3. Déposer dans la
mijoteuse. Verser 250 ml (1 tasse) de bouillon et 125 ml (½ tasse)
de vin dans la poêle. Porter à ébullition puis verser dans la mijoteuse.
Ajouter le reste des ingrédients, à l'exception des câprons et du basilic.
Couvrir et cuire à faible intensité de 6 à 8 heures. Ajouter les câprons et le
basilic. Couvrir et prolonger la cuisson de 15 minutes à intensité élevée.

Chili con carne

Préparation : **20 minutes** • Cuisson : **2 heures** • Quantité : **de 4 à 6 portions**

30 ml (2 c. à soupe) d'huile de canola

755 g (1 ⅔ lb) de bœuf haché maigre

2 oignons hachés

10 ml (2 c. à thé) d'ail haché

2 poivrons rouges coupés en dés

2 poivrons verts coupés en dés

2 poivrons jaunes coupés en dés

2 boîtes de tomates étuvées avec assaisonnements chili (de type Aylmer Accents) de 540 ml chacune

1 boîte de haricots rouges de 540 ml, rincés et égouttés

1 tige de thym

Sel au goût

1. Préchauffer le four à 190 °C (375 °F).

2. Dans une cocotte allant au four, chauffer l'huile à feu moyen. Faire dorer la viande de 2 à 3 minutes.

3. Ajouter les oignons, l'ail et les poivrons. Cuire 5 minutes.

4. Incorporer les tomates, les haricots, le thym et le sel. Couvrir et cuire au four 2 heures.

 À LA MIJOTEUSE
Suivre les étapes 2 et 3. Transférer la préparation dans la mijoteuse avec le reste des ingrédients. Remuer. Couvrir et cuire à faible intensité de 6 à 8 heures.

Bœuf bourguignon

Préparation : **15 minutes** • Marinage : **3 heures** • Cuisson : **2 heures** • Quantité : **4 portions**

750 ml (3 tasses)
de vin rouge corsé
....

1 carotte émincée
....

1 oignon haché
....

10 ml (2 c. à thé)
d'ail haché
....

1 tige de thym
....

1 feuille de laurier
....

1 kg (2,2 lb) de cubes
de bœuf à mijoter
....

30 ml (2 c. à soupe)
d'huile de canola
....

45 ml (3 c. à soupe)
de farine
....

250 ml (1 tasse)
de bouillon de bœuf
....

Sel et poivre au goût
....

30 ml (2 c. à soupe)
de beurre
....

10 tranches de bacon
coupées en lardons
....

20 oignons perlés
....

1 casseau
de champignons
....

À LA MIJOTEUSE
Suivre l'étape 1 en utilisant 375 ml
(1 ½ tasse) de vin rouge. Suivre les étapes
3 à 5 en utilisant 125 ml (½ tasse) de bouillon. Porter
à ébullition. Couvrir et cuire à faible intensité de 8 à
10 heures. Suivre l'étape 7 et transférer dans la mijoteuse. Couvrir et cuire à haute intensité 30 minutes.

1. Dans un bol, mélanger le vin rouge avec
la carotte, l'oignon, l'ail, le thym et la feuille
de laurier. Ajouter les cubes de bœuf. Couvrir
et laisser mariner au frais de 3 à 24 heures.

2. Au moment de la cuisson, préchauffer
le four à 190°C (375°F).

3. Égoutter la viande en prenant soin de
réserver la marinade. Dans une cocotte,
chauffer l'huile à feu moyen-vif. Faire
dorer les morceaux de bœuf.

4. Saupoudrer de farine et remuer. Cuire
quelques minutes à feu vif.

5. Verser la marinade et le bouillon.
Assaisonner.

6. Couvrir et cuire au four de 2 à 3 heures.

7. Pendant ce temps, chauffer le beurre à
feu moyen dans une poêle. Faire revenir les
lardons, les oignons perlés et les champignons.
Ajouter dans la cocotte vers la fin de la
cuisson.

Bœuf au vin

Préparation : **20 minutes** • Marinage : **3 heures** • Cuisson : **1 heure** • Quantité : **de 4 à 6 portions**

750 ml (3 tasses)
de vin rouge
....

1 oignon coupé en cubes
....

1 carotte coupée
en morceaux
....

2 gousses d'ail
....

1 tige de thym
....

1 tige de romarin
....

1 feuille de laurier
....

1 kg (2,2 lb) de cubes
de bœuf à mijoter
....

15 ml (1 c. à soupe)
d'huile d'olive
....

45 ml (3 c. à soupe)
de farine
....

250 ml (1 tasse)
de bouillon de bœuf
....

Sel et poivre au goût
....

1. Dans un bol, mélanger le vin avec l'oignon, la carotte, l'ail et les fines herbes. Ajouter les cubes de bœuf. Couvrir et laisser mariner au frais de 3 à 24 heures.

2. Égoutter les cubes de bœuf en prenant soin de réserver la marinade. Dans une poêle, chauffer l'huile à feu moyen. Faire colorer les cubes sur toutes les faces, en procédant par petites quantités.

3. Saupoudrer de farine. Remuer et cuire 1 minute.

4. Verser le bouillon et la marinade contenant les légumes. Saler et poivrer.

5. Couvrir et laisser mijoter 1 heure.

À LA MIJOTEUSE

Suivre l'étape 1 en utilisant 375 ml (1 ½ tasse) de vin rouge. Suivre les étapes 2 à 4 en utilisant 125 ml (½ tasse) de bouillon. Transférer la préparation dans la mijoteuse. Couvrir et cuire à faible intensité de 8 à 10 heures.

Bœuf tandoori

Préparation : **30 minutes** • Cuisson : **10 minutes** • Quantité : **4 portions**

680 g (1 ½ lb) de cubes de bœuf à brochettes

30 ml (2 c. à soupe) de poudre de tandoori

30 ml (2 c. à soupe) d'huile de canola

250 ml (1 tasse) de fond de veau

250 ml (1 tasse) de yogourt nature

1 boîte de pois chiches de 540 ml, rincés et égouttés

60 ml (¼ de tasse) d'oignons verts émincés

1. Saupoudrer les cubes de bœuf de 15 ml (1 c. à soupe) de poudre de tandoori.

2. Dans une casserole, chauffer l'huile à feu moyen. Faire dorer les cubes de bœuf de 2 à 3 minutes, en procédant par petites quantités. Transférer les cubes de bœuf dans une assiette. Jeter l'huile de cuisson.

3. Dans la même casserole, verser le fond de veau. Incorporer le yogourt et le reste de la poudre de tandoori. Chauffer à feu moyen jusqu'à ce que la préparation ait réduit du quart.

4. Ajouter les cubes de bœuf et les pois chiches. Chauffer à feu moyen de 6 à 8 minutes.

5. Au moment de servir, parsemer d'oignons verts émincés.

À LA MIJOTEUSE

Suivre les étapes 1 et 2 en utilisant des cubes de bœuf à ragoût. Transférer la préparation dans la mijoteuse. Verser 125 ml ($\frac{1}{2}$ tasse) de fond de veau, ajouter le reste de la poudre de tandoori et les pois chiches. Couvrir et cuire à faible intensité de 8 à 10 heures. Ajouter 125 ml ($\frac{1}{2}$ tasse) de yogourt et prolonger la cuisson de 20 minutes à haute intensité. Au moment de servir, parsemer d'oignons verts émincés.

Fondante volaille

Avec leur chair délicate et maigre, le poulet et le dindon se prêtent divinement au traitement « spécial mijoteuse ». Ça fond littéralement dans la bouche… Si les possibilités sont infinies, découvrez ici une sélection goûteuse, du coq au vin à des plats polyvalents et relevés de parfums exotiques. Car au-delà du poulet et de la dinde rôtis, il y a une vie !

Casserole à l'italienne

Préparation : **25 minutes** • Cuisson : **30 minutes** • Quantité : **4 portions**

30 ml (2 c. à soupe) d'huile d'olive

4 poitrines de poulet, sans peau et coupées en cubes

2 oignons coupés en cubes

250 ml (1 tasse) de bouillon de poulet

45 ml (3 c. à soupe) de pâte de tomates

30 ml (2 c. à soupe) de basilic frais haché

10 ml (2 c. à thé) d'ail haché

4 tomates coupées en dés

1 poivron rouge coupé en cubes

1 poivron jaune coupé en cubes

1 tige de thym

Sel et poivre au goût

 À LA MIJOTEUSE
Suivre les étapes 2 et 3. Une fois les cubes de poulet bien dorés, transférer dans la mijoteuse. Suivre l'étape 4 en utilisant 125 ml (½ tasse) de bouillon et transférer la préparation dans la mijoteuse. Couvrir et cuire à faible intensité de 5 à 6 heures.

1. Préchauffer le four à 180 °C (350 °F).

2. Dans une poêle, chauffer l'huile à feu moyen.

3. Faire dorer les cubes de poulet sur toutes les faces, en procédant par petites quantités, et déposer dans un plat allant au four.

4. Dans la même poêle, faire dorer les oignons. Ajouter le reste des ingrédients, à l'exception du poulet, et porter à ébullition. Verser sur le poulet.

5. Couvrir le plat d'une feuille de papier d'aluminium et cuire au four de 30 à 40 minutes.

J'aime parce que...
C'est encore meilleur le lendemain !

Les plats mijotés ravissent davantage notre palais le jour suivant leur préparation. En effet, la magie se poursuit après la cuisson puisque le temps de repos permet à la viande de macérer et de s'imprégner pleinement des autres saveurs du mets. Les mijotés ont donc avantage à être préparés la veille, ce qui facilite grandement la tâche. N'hésitez plus à réserver votre mijoté au frais et à le déguster plus tard après l'avoir réchauffé à feu très doux. Un vrai délice !

Coq au vin

Préparation : **20 minutes** • Cuisson : **1 heure 30 minutes** • Quantité : **4 portions**

4 cuisses de poulet, sans peau
....
30 ml (2 c. à soupe) d'huile
de canola
....
16 oignons perlés
....
250 ml (1 tasse) de champignons
coupés en deux
....
30 ml (2 c. à soupe) de farine
....
1 bouteille de vin rouge
de 750 ml
....
1 carotte émincée
....
3 gousses d'ail entières
....
1 tige de thym
....
1 feuille de laurier
....

 À LA MIJOTEUSE
Suivre les étapes 1 à 3.
Déposer les légumes et
le poulet dans la mijoteuse. Ajouter
la farine et remuer. Verser 360 ml
(environ 1 ½ tasse) de vin. Ajouter
l'ail et les fines herbes. Couvrir
et cuire à faible intensité de 5 à
6 heures.

1. Couper les cuisses de poulet en deux afin d'obtenir des pilons et des hauts de cuisses.

2. Dans une grande casserole, chauffer l'huile à feu moyen. Faire dorer les oignons et les champignons. Retirer les légumes et réserver.

3. Dans la même casserole, faire dorer les morceaux de poulet quelques minutes. Éponger l'excédent de gras de cuisson à l'aide de papier absorbant.

4. Saupoudrer le poulet de farine et remuer. Ajouter le vin rouge, la carotte, l'ail et les fines herbes. Couvrir et laisser mijoter à feu très doux de 1 heure 30 minutes à 2 heures.

5. Retirer le poulet de la casserole. À l'aide d'une passoire, filtrer la sauce et la remettre dans la casserole. Ajouter les oignons, les champignons et le poulet.

Le saviez-vous ?

Coq au vin, d'où viens-tu ?

Le mystère plane toujours quant à l'origine exacte de ce délicieux classique français. En effet, nombreuses sont les régions qui revendiquent sa création : Bourgogne, Alsace, Champagne, Auvergne… Plus encore, certains prétendent que c'est Jules César qui aurait ainsi apprêté un coq maigrichon, envoyé par les Gaulois en signe de leur persévérance. Les plus pragmatiques soutiennent quant à eux qu'il s'agissait simplement d'un moyen pour cuisiner la vieille volaille, ce qui n'est certainement plus le cas aujourd'hui !

Ragoût de dinde des Caraïbes

Préparation : **30 minutes** • Cuisson : **40 minutes** • Quantité : **4 portions**

30 ml (2 c. à soupe) d'huile
de canola
....
755 g (1 ⅔ lb) de poitrines
de dinde désossées, sans peau
et coupées en cubes
....
1 oignon haché
....
10 ml (2 c. à thé) d'ail haché
....
15 ml (1 c. à soupe) de gingembre
haché
....
30 ml (2 c. à soupe) de farine
....
375 ml (1 ½ tasse) de bouillon
de poulet
....
250 ml (1 tasse) de jus d'ananas
....
1 bâton de cannelle
....
1 feuille de laurier
....
15 ml (1 c. à soupe) de zestes
de lime
....
Sel et piment de Cayenne
au goût
....
2 bananes plantain
coupées en dés
....

1. Dans une casserole à fond épais ou dans une cocotte, chauffer l'huile à feu moyen-vif. Faire dorer les cubes de dinde de 1 à 2 minutes sur toutes les faces, en procédant par petites quantités. Déposer les cubes dans une assiette.

2. À feu moyen, faire revenir l'oignon avec l'ail et le gingembre de 1 à 2 minutes.

3. Remettre les cubes de dinde dans la casserole, saupoudrer de farine et remuer. Ajouter le bouillon, le jus d'ananas, la cannelle, le laurier, les zestes et l'assaisonnement. Porter à ébullition en raclant les parois de la casserole à l'aide d'une cuillère de bois afin de détacher les sucs de cuisson.

4. Couvrir et cuire à feu doux-moyen 20 minutes. Ajouter les bananes plantain et prolonger la cuisson de 20 à 25 minutes, jusqu'à ce que la dinde soit tendre et se défasse à la fourchette. Servir sur un lit de riz.

 À LA MIJOTEUSE
Suivre les étapes 1 et 2. Suivre l'étape 3 en utilisant 180 ml (¾ de tasse) de bouillon et 125 ml (½ tasse) de jus d'ananas. Transférer la préparation dans la mijoteuse. Couvrir et cuire à faible intensité de 4 à 6 heures. Ajouter les bananes et prolonger la cuisson de 30 minutes.

J'aime parce que...
Ça fait voyager les papilles !
L'utilisation d'ingrédients hors du commun peut ajouter une touche originale à nos mijotés. Jus de fruits tropicaux, zeste d'agrumes, lait de coco, fruits et légumes exotiques, épices des contrées lointaines, sauces asiatiques, vins d'ailleurs… Les possibilités sont illimitées. Usez de créativité pour apporter un véritable vent de fraîcheur à vos mets chouchous !

Poulet cacciatore

Préparation : **25 minutes** • Cuisson : **30 minutes** • Quantité : **4 portions**

30 ml (2 c. à soupe) d'huile d'olive

1 poulet de 1,5 kg (3 ⅓ lb) coupé en huit morceaux, sans peau

1 oignon haché

10 champignons émincés

15 ml (1 c. à soupe) d'ail haché

125 ml (½ tasse) de vin blanc

250 ml (1 tasse) de bouillon de poulet

1 boîte de tomates en dés de 540 ml

45 ml (3 c. à soupe) de pâte de tomates

15 ml (1 c. à soupe) d'origan frais haché

1 feuille de laurier

15 ml (1 c. à soupe) de cassonade

Sel et poivre au goût

 À LA MIJOTEUSE
Suivre les étapes 1 et 2. Suivre l'étape 3 en utilisant 60 ml (¼ de tasse) de vin et 125 ml (½ tasse) de bouillon. Ajouter le reste des ingrédients. Couvrir et cuire à faible intensité de 6 à 8 heures.

1. Dans une casserole à fond épais ou dans une cocotte, chauffer l'huile à feu moyen-vif. Faire dorer les morceaux de poulet de 2 à 3 minutes de chaque côté. Déposer les morceaux de poulet dans une assiette.

2. Dans la casserole, cuire l'oignon, les champignons et l'ail 1 minute à feu moyen.

3. Remettre les morceaux de poulet dans la casserole. Verser le vin et le bouillon. Porter à ébullition en raclant les parois de la casserole à l'aide d'une cuillère de bois afin de détacher les sucs de cuisson.

4. Ajouter le reste des ingrédients. Couvrir et laisser mijoter à feu doux-moyen de 30 à 40 minutes, jusqu'à ce que le poulet soit tendre et se défasse à la fourchette.

Poulet cacciatore ou castafiore ?

Non, il ne s'agit pas d'une autre cantatrice célèbre, mais bien d'un mets italien exquis ! Le poulet cacciatore (« poulet chasseur », en français) est cuit dans une sauce onctueuse à base de tomates et de vin blanc à laquelle s'ajoutent des champignons, de l'oignon et divers aromates. Souvent servi sur un lit de pâtes ou de polenta, il se décline en plusieurs variantes selon les régions… et l'inspiration !

Poitrines de dindon à l'orange
et aux canneberges

Préparation : 20 minutes • Cuisson : 30 minutes • Quantité : de 4 à 6 portions

15 ml (1 c. à soupe)
d'huile

2 poitrines de dindon
de 450 g (1 lb) chacune,
sans peau

**POUR LA SAUCE
AUX CANNEBERGES :**

1 boîte de sauce aux
canneberges avec fruits
entiers de 398 ml

250 ml (1 tasse) de
canneberges (facultatif)

250 ml (1 tasse) de jus
d'orange

125 ml (½ tasse)
de bouillon de poulet

30 ml (2 c. à soupe)
de moutarde de Dijon

15 ml (1 c. à soupe)
d'ail haché

5 ml (1 c. à thé) de
romarin frais haché

1 oignon rouge émincé

1 feuille de laurier

Sel et poivre au goût

1. Préchauffer le four à 190 °C (375 °F).

2. Dans une cocotte, chauffer l'huile à feu
moyen. Faire dorer les poitrines des deux
côtés.

3. Dans un bol, mélanger les ingrédients
de la sauce aux canneberges et verser dans
la cocotte.

4. Couvrir et cuire au four de 30 à 40 minutes,
jusqu'à ce que les poitrines aient perdu leur
teinte rosée.

 **À LA MIJOTEUSE**

Suivre les étapes 2 et 3, en omettant
le bouillon de poulet dans la sauce
aux canneberges. Verser la moitié de la sauce
dans la mijoteuse. Ajouter les poitrines et le
reste de la sauce. Couvrir et cuire à faible intensité de 6 à 8 heures.

Poulet confit au miel et abricots séchés

Préparation : **20 minutes** • Cuisson : **40 minutes** • Quantité : **4 portions**

30 ml (2 c. à soupe)
d'huile d'olive
....

1 oignon émincé
....

1,5 kg (environ 3 lb)
de cuisses ou de hauts
de cuisses de poulet
....

125 ml (½ tasse) de miel
....

15 ml (1 c. à soupe)
de jus de citron
....

125 ml (½ tasse)
de bouillon de poulet
....

5 ml (1 c. à thé)
d'ail haché
....

500 ml (2 tasses)
de mini-carottes
....

1 feuille de laurier
....

80 ml (⅓ de tasse)
de raisins secs
....

250 ml (1 tasse) d'abricots
séchés
....

Sel et poivre au goût
....

1. Préchauffer le four à 190 °C (375 °F).

2. Dans une cocotte ou dans un grand poêlon, chauffer l'huile à feu moyen. Faire dorer l'oignon et le poulet 2 minutes de chaque côté.

3. Verser le miel et chauffer jusqu'aux premiers frémissements, jusqu'à ce que la préparation prenne une teinte ambrée.

4. Ajouter le reste des ingrédients. Couvrir et cuire au four de 40 à 45 minutes, jusqu'à ce que le poulet soit cuit et que la chair se détache facilement de l'os. À mi-cuisson, retirer le couvercle ou la feuille de papier d'aluminium.

 À LA MIJOTEUSE
Suivre les étapes 2 et 3. Transférer la préparation dans la mijoteuse. Ajouter le reste des ingrédients. Couvrir et cuire à faible intensité de 5 à 6 heures.

Boulettes aux pêches et gingembre

Préparation : **20 minutes** • Cuisson : **5 minutes** • Quantité : **4 portions**

1 boîte de pêches
de 798 ml, égouttées

250 ml (1 tasse)
de bouillon de poulet

605 g (1 ⅓ lb) de dindon
haché

1 oignon haché

15 ml (1 c. à soupe)
de persil frais haché

15 ml (1 c. à soupe) de
ciboulette fraîche hachée

15 ml (1 c. à soupe)
de gingembre haché

5 ml (1 c. à thé) d'ail
haché

45 ml (3 c. à soupe)
de sauce soya

Sel et poivre au goût

75 ml (5 c. à soupe)
de farine

30 ml (2 c. à soupe) de
noisettes concassées

30 ml (2 c. à soupe)
d'amandes concassées

15 ml (1 c. à soupe)
d'huile de canola

À LA MIJOTEUSE

Suivre les étapes 1 à 5, en utilisant 125 ml
(½ tasse) de bouillon. Déposer les boulettes
dans la mijoteuse. Verser le bouillon aux pêches et
ajouter les dés de pêches. Couvrir et cuire à faible
intensité de 4 à 5 heures.

1. Couper la moitié des pêches en dés.

2. Déposer le reste des pêches dans le contenant du robot culinaire et verser le bouillon
de poulet. Émulsionner et réserver.

3. Dans un grand bol, mélanger le dindon
avec l'oignon, les fines herbes, le gingembre,
l'ail et la sauce soya. Assaisonner. Avec la
préparation, façonner des boulettes de 3 cm
(1 ¼ po) de diamètre.

4. Dans un autre bol, mélanger la farine
avec les noisettes et les amandes. Rouler
les boulettes dans ce mélange.

5. Dans une poêle, chauffer l'huile à feu
moyen-élevé. Faire dorer les boulettes.

6. Ajouter l'émulsion et les dés de pêches.
Porter à ébullition et laisser mijoter de 5 à
8 minutes, jusqu'à ce que les boulettes
soient cuites.

Boulettes basquaises

Préparation : **15 minutes** • Cuisson : **25 minutes** • Quantité : **de 4 à 6 portions**

900 g (2 lb) de dindon haché

1 œuf battu

125 ml (½ tasse) de chapelure nature

10 ml (2 c. à thé) d'ail haché

Sel et poivre au goût

30 ml (2 c. à soupe) d'huile d'olive

2 poivrons rouges ou jaunes émincés

1 oignon haché

500 ml (2 tasses) de sauce tomate

5 ml (1 c. à thé) de thym frais haché

Sel et poivre au goût

1. Dans un bol, mélanger le dindon haché avec l'œuf. Incorporer la chapelure, l'ail et l'assaisonnement. Avec la préparation, façonner 16 boulettes d'environ 2,5 cm (1 po) de diamètre.

2. Dans une casserole, chauffer l'huile à feu moyen. Faire dorer les boulettes de 5 à 7 minutes.

3. Ajouter le reste des ingrédients. Couvrir et laisser mijoter de 20 à 30 minutes à feu doux, jusqu'à ce que les boulettes soient cuites. Servir sur un lit de riz.

 À LA MIJOTEUSE

Suivre les étapes 1 et 2. Déposer les boulettes dans la mijoteuse. Ajouter le reste des ingrédients en utilisant 250 ml (1 tasse) de sauce tomate. Couvrir et cuire à faible intensité de 5 à 6 heures ou à intensité élevée de 2 heures 30 minutes à 3 heures.

Poulet mangue et gingembre

Préparation : **30 minutes** • Cuisson : **5 minutes** • Quantité : **4 portions**

3 mangues

15 ml (1 c. à soupe) de sucre

15 ml (1 c. à soupe) de gingembre

30 ml (2 c. à soupe) d'huile de canola

755 g (1 ⅔ lb) de poitrines de poulet, sans peau

Sel et poivre au goût

1 oignon rouge émincé

5 ml (1 c. à thé) d'ail haché

45 ml (3 c. à soupe) de vinaigre de cidre

15 ml (1 c. à soupe) de coriandre fraîche hachée

30 ml (2 c. à soupe) d'oignons verts émincés

1. Peler les mangues et retirer les noyaux. Couper 1 mangue en petits dés.

2. Dans le contenant du mélangeur, réduire en purée les deux autres mangues, le sucre et le gingembre.

3. Dans un poêlon, chauffer l'huile à feu moyen-élevé. Faire dorer le poulet et assaisonner. Transférer le poulet dans une assiette et retirer le surplus de gras du poêlon.

4. Dans le même poêlon, cuire l'oignon avec les dés de mangue et l'ail de 1 à 2 minutes.

5. Remettre le poulet dans le poêlon. Verser le vinaigre et la purée de mangue. Porter à ébullition à feu doux-moyen. Poursuivre la cuisson de 5 à 8 minutes, jusqu'à ce que l'intérieur de la chair du poulet ait perdu sa teinte rosée.

6. Au moment de servir, trancher les poitrines de poulet. Répartir dans les assiettes et parsemer chacune des portions de coriandre et d'oignons verts.

À LA MIJOTEUSE

Suivre les étapes 1 à 3. Transférer le poulet dans la mijoteuse. Suivre l'étape 4 puis transférer dans la mijoteuse. Verser le vinaigre de cidre et ajouter la purée de mangues. Couvrir et cuire à faible intensité de 5 à 6 heures. Suivre l'étape 6.

Mijoté de poulet aux poivrons et olives

Préparation : **30 minutes** • Cuisson : **30 minutes** • Quantité : **4 portions**

30 ml (2 c. à soupe) d'huile d'olive

1 poulet de 1,5 kg (3 ⅓ lb) coupé en huit morceaux, sans peau

2 oignons émincés

2 poivrons rouges taillés en lanières

1 poivron jaune émincé

10 ml (2 c. à thé) d'ail haché

2 grosses tomates, épépinées et coupées en cubes

60 ml (¼ de tasse) de pâte de tomates

1 tige de thym

375 ml (1 ½ tasse) de bouillon de poulet

Sel et poivre du moulin au goût

12 olives vertes

4 tranches de prosciutto coupées en dés

À LA MIJOTEUSE

Suivre l'étape 1. Transférer le poulet dans la mijoteuse. Suivre l'étape 2. Verser 250 ml (1 tasse) de bouillon puis transférer dans la mijoteuse. Ajouter les tomates, la pâte de tomates, le thym et l'assaisonnement. Couvrir et cuire à faible intensité de 6 à 8 heures. Ajouter les olives, couvrir et prolonger la cuisson de 5 minutes à haute intensité.

1. Dans une casserole à fond épais ou dans une cocotte, chauffer l'huile à feu moyen-vif. Faire dorer quelques morceaux de poulet à la fois. Transférer dans une assiette.

2. Dans la casserole, ajouter les oignons, les poivrons et l'ail. Cuire de 2 à 3 minutes à feu moyen.

3. Ajouter les tomates, la pâte de tomates et le thym. Remettre le poulet dans la casserole. Verser le bouillon et assaisonner. Porter à ébullition. Couvrir et laisser mijoter à feu doux-moyen de 25 à 35 minutes, jusqu'à ce que le poulet soit tendre et se défasse à la fourchette.

4. Ajouter les olives et poursuivre la cuisson 5 minutes.

5. Au moment de servir, étaler les dés de prosciutto dans une assiette et couvrir d'une feuille de papier absorbant. Cuire de 1 à 2 minutes à puissance maximale, jusqu'à ce que le prosciutto soit croustillant. Parsemer chaque portion de prosciutto.

Cari de poulet à l'ananas

Préparation : **25 minutes** • Cuisson : **30 minutes** • Quantité : **de 4 à 6 portions**

900 g (2 lb) de poitrines de poulet désossées, sans peau

30 ml (2 c. à soupe) d'huile de canola

2 oignons hachés

5 ml (1 c. à thé) de curcuma

15 ml (1 c. à soupe) de cari

250 ml (1 tasse) de bouillon de poulet

1 boîte de lait de coco de 400 ml

5 ml (1 c. à thé) de pâte de cari rouge

10 ml (2 c. à thé) d'ail haché

15 ml (1 c. à soupe) de gingembre haché

30 ml (2 c. à soupe) de jus de lime

½ ananas coupé en cubes

1 poivron rouge coupé en cubes

Sel au goût

250 ml (1 tasse) de noix de cajou

1. Couper les poitrines de poulet en cubes.

2. Dans une cocotte, chauffer l'huile à feu moyen. Faire revenir le poulet avec les oignons, le curcuma et le cari 4 minutes.

3. Dans un bol, fouetter le bouillon avec le lait de coco, la pâte de cari, l'ail, le gingembre et le jus de lime. Ajouter dans la cocotte avec l'ananas, le poivron, le sel et les noix de cajou.

4. Couvrir et cuire 30 minutes à feu doux.

À LA MIJOTEUSE

Suivre les étapes 1 à 3, en utilisant 125 ml (½ tasse) de bouillon et en omettant les noix de cajou. Transférer la préparation dans la mijoteuse. Couvrir et cuire de 7 heures 30 minutes à 9 heures 30 minutes à faible intensité. Ajouter les noix de cajou et poursuivre la cuisson 30 minutes à intensité élevée.

Blanquette de poulet au basilic

Préparation : **20 minutes** • Cuisson : **50 minutes** • Quantité : **4 portions**

POUR LE POULET :

1 litre (4 tasses) d'eau froide

1 kg (2,2 lb) de cuisses de poulet, sans peau

4 oignons verts

6 mini-carottes

250 ml (1 tasse) d'oignons perlés

250 ml (1 tasse) de champignons

16 à 20 pommes de terre grelots

1 feuille de laurier

1 tige de thym

3 clous de girofle

Sel et poivre au goût

POUR LA SAUCE :

60 ml (¼ de tasse) de beurre

60 ml (¼ de tasse) de farine

30 ml (2 c. à soupe) de basilic frais émincé

1. Dans une casserole, déposer tous les ingrédients pour le poulet. Couvrir et cuire de 45 à 60 minutes à feu doux.

2. Retirer le poulet et les légumes de la casserole. Filtrer le jus de cuisson. Réserver.

3. Dans la même casserole, faire fondre le beurre et incorporer la farine. Cuire de 2 à 3 minutes en remuant.

4. Verser le jus de cuisson et porter à ébullition en fouettant continuellement.

5. Remettre la viande et les légumes dans la casserole. Ajouter le basilic et laisser mijoter 5 minutes à feu très doux.

À LA MIJOTEUSE

Dans la mijoteuse, déposer le poulet et les légumes coupés en cubes. Mélanger la farine avec le beurre fondu. Ajouter dans la mijoteuse avec 500 ml (2 tasses) d'eau froide. Couvrir et cuire de 5 à 7 heures à faible intensité. Ajouter le thym et le basilic. Poursuivre la cuisson 1 heure.

Cuisses de poulet au paprika fumé sur nouilles aux œufs

Préparation : 25 minutes • Cuisson : 31 minutes • Quantité : 4 portions

30 ml (2 c. à soupe) d'huile de canola

4 cuisses de poulet coupées en deux, sans peau

16 oignons perlés

10 ml (2 c. à thé) d'ail haché

1 poivron vert coupé en cubes

3 tomates coupées en dés

15 ml (1 c. à soupe) de paprika fumé

Sel et poivre au goût

250 ml (1 tasse) de bouillon de poulet

125 ml (½ tasse) de crème à cuisson 15 %

350 g de nouilles aux œufs

À LA MIJOTEUSE

Suivre l'étape 1. Transférer le poulet dans la mijoteuse. Ajouter les légumes, le paprika et l'assaisonnement. Verser 125 ml (½ tasse) de bouillon. Couvrir et cuire à faible intensité de 6 à 8 heures. Incorporer la crème et prolonger la cuisson de 10 minutes. Suivre les étapes 5 et 6.

1. Dans une casserole allant au four ou dans une cocotte, chauffer l'huile à feu moyen-vif. Faire dorer deux cuisses de poulet à la fois. Transférer dans une assiette.

2. Retirer l'excédent de gras de la casserole. Remettre le poulet dans la casserole, puis ajouter les oignons, l'ail, le poivron, les tomates et le paprika. Assaisonner. Cuire à feu moyen de 2 à 3 minutes. Verser le bouillon et porter à ébullition.

3. Couvrir et laisser mijoter à feu doux-moyen de 25 à 30 minutes, jusqu'à ce que la chair soit tendre et se défasse à la fourchette.

4. Verser la crème et prolonger la cuisson de 6 à 7 minutes.

5. Pendant ce temps, cuire les nouilles *al dente* dans une casserole d'eau bouillante salée. Égoutter.

6. Servir le poulet sur un lit de nouilles et napper de sauce.

Pilons de poulet sauce satay

Préparation : **10 minutes** • Cuisson : **20 minutes** • Quantité : **4 portions**

15 ml (1 c. à soupe) d'huile de canola

12 pilons de poulet, sans peau

POUR LA SAUCE AUX ARACHIDES :

1 boîte de lait de coco de 400 ml

250 ml (1 tasse) de bouillon de poulet

125 ml (½ tasse) de beurre d'arachide croquant

60 ml (¼ de tasse) de sauce soya

30 ml (2 c. à soupe) de jus de lime

15 ml (1 c. à soupe) de gingembre haché

10 ml (2 c. à thé) d'ail haché

5 ml (1 c. à thé) de pâte de cari rouge

1 oignon haché

Sel au goût

1. Dans une grande casserole, mélanger les ingrédients de la sauce aux arachides.

2. Dans une poêle, chauffer l'huile à feu moyen. Faire dorer les pilons de 2 à 3 minutes de chaque côté.

3. Ajouter les pilons dans la sauce et porter à ébullition.

4. Couvrir et laisser mijoter à feu doux de 20 à 30 minutes, jusqu'à ce que la chair se détache facilement de l'os.

 À LA MIJOTEUSE

Suivre l'étape 2. Déposer les pilons dans la mijoteuse. Mélanger ensemble les ingrédients de la sauce, en omettant le bouillon de poulet. Verser la sauce dans la mijoteuse et remuer pour bien enrober les pilons. Couvrir et cuire de 5 à 6 heures à faible intensité.

Le porc à son meilleur !

Vedette de notre terroir, la viande de porc n'a jamais été aussi maigre et de qualité. On serait fou de la bouder… En plat salé-sucré, le porc fait un malheur ! Ici, l'infaillible mijoteuse promet une viande cuite à la perfection, bien juteuse. En plus des traditionnelles côtelettes, découvrez le porc du Québec à son meilleur dans des recettes aux effluves d'ailleurs…

Osso buco aux agrumes

Préparation : **30 minutes** • Cuisson : **1 heure 30 minutes** • Quantité : **4 portions**

30 ml (2 c. à soupe) d'huile d'olive

60 ml (¼ de tasse) de farine

8 tranches de jarrets de porc
de 2,5 cm (1 po) d'épaisseur pour
un total de 1,3 kg (environ 3 lb)

1 oignon coupé en dés

10 ml (2 c. à thé) d'ail haché

2 carottes coupées en dés

2 branches de céleri coupées
en dés

3 tomates coupées en dés

250 ml (1 tasse) de vin blanc

250 ml (1 tasse) de bouillon
de poulet

125 ml (½ tasse) de jus d'orange

15 ml (1 c. à soupe) de zestes
d'orange

15 ml (1 c. à soupe) de zestes
de citron

45 ml (3 c. à soupe) de persil
frais haché

1 feuille de laurier

Sel et poivre au goût

1. Préchauffer le four à 190 °C (375 °F).

2. Dans une casserole allant au four ou dans
une cocotte, chauffer l'huile à feu moyen-
vif. Fariner 4 jarrets et faire dorer 1 minute
de chaque côté. Déposer dans une assiette.
Répéter cette étape avec le reste des jarrets.

3. Dans la même casserole, faire revenir
l'oignon avec l'ail 1 minute. Ajouter les
carottes, le céleri et les tomates.

4. Verser le vin, le bouillon et le jus d'orange.
Porter à ébullition en raclant les parois de la
casserole à l'aide d'une cuillère de bois afin
de détacher les sucs de cuisson. Ajouter les
jarrets de porc et le reste des ingrédients.
Porter à ébullition. Couvrir et cuire au four
1 heure 30 minutes, jusqu'à ce que la viande
soit tendre et se défasse à la fourchette.

 À LA MIJOTEUSE
Suivre l'étape 2 et déposer les jarrets
dans la mijoteuse. Suivre l'étape 3.
Verser 125 ml (½ tasse) de vin, 250 ml (1 tasse)
de bouillon et 60 ml (¼ de tasse) de jus. Porter
à ébullition en raclant les parois de la casserole à l'aide d'une cuillère de bois. Verser la
préparation sur les jarrets. Ajouter le reste des
ingrédients. Couvrir et cuire à faible intensité
de 6 à 8 heures.

J'aime avec...

Gnocchis aux fines herbes et parmesan

Cuire 500 g de gnocchis selon le mode de préparation indiqué
sur l'emballage. Égoutter. Mélanger les gnocchis avec 30 ml
(2 c. à soupe) d'huile d'olive, 30 ml (2 c. à soupe) de basilic
frais émincé, 15 ml (1 c. à soupe) de ciboulette fraîche hachée
et 60 ml (¼ de tasse) de parmesan râpé. Saler et poivrer.

Porc à l'asiatique

Préparation : **20 minutes** • Marinage : **2 heures**
Cuisson : **1 heure** • Quantité : **de 4 à 6 portions**

60 ml (¼ de tasse) de vinaigre de riz
....
15 ml (1 c. à soupe) de sauce aux huîtres
....
30 ml (2 c. à soupe) de miel
....
15 ml (1 c. à soupe) de sauce soya
....
15 ml (1 c. à soupe) de gingembre haché
....
1 kg (2,2 lb) de cubes de porc à ragoût
....
15 ml (1 c. à soupe) d'huile de canola
....
30 ml (2 c. à soupe) d'échalotes sèches émincées
....
10 ml (2 c. à thé) d'ail haché
....
375 ml (1 ½ tasse) de bouillon de légumes
....
2 carottes émincées
....
10 champignons shiitake émincés
....
¼ d'ananas coupé en morceaux
....
15 ml (1 c. à soupe) de fécule de maïs
....

 À LA MIJOTEUSE

Suivre les étapes 1 et 2. Une fois les cubes de porc bien dorés, transférer dans la mijoteuse. Ajouter la marinade réservée et le reste des ingrédients, à l'exception de la fécule de maïs, en utilisant 250 ml (1 tasse) de bouillon. Couvrir et cuire à faible intensité de 6 à 8 heures. Délayer la fécule dans un peu d'eau froide et verser dans la mijoteuse en remuant. Terminer la cuisson à haute intensité de 15 à 20 minutes.

1. Dans un bol, mélanger le vinaigre avec la sauce aux huîtres, le miel, la sauce soya et le gingembre. Ajouter les cubes de porc et laisser mariner de 2 à 4 heures au frais.

2. Égoutter la viande en prenant soin de réserver la marinade. Dans une cocotte, chauffer l'huile à feu moyen. Faire dorer les cubes de porc sur toutes les faces, en procédant par petites quantités.

3. Ajouter les échalotes et l'ail. Cuire 5 minutes en remuant.

4. Verser la marinade et le reste des ingrédients, à l'exception de la fécule de maïs. Couvrir et laisser mijoter 1 heure à feu doux, jusqu'à ce que le porc soit tendre.

5. Au moment de servir, délayer la fécule dans un peu d'eau froide et incorporer à la préparation.

Le saviez-vous ?

Qu'est-ce que les champignons shiitake ?

Le shiitake, consommé en Chine depuis des millénaires, est la deuxième espèce de champignon la plus cultivée au monde après le champignon de couche. Cette variété à lamelles beiges et au chapeau foncé se retrouve fraîche ou déshydratée dans la plupart des supermarchés. Son goût boisé prononcé et persistant en fait un légume idéal pour les mijotés. Comme le pied de ce champignon est plutôt fibreux, il est préférable de le retirer.

Côtelettes de porc à l'érable et aux pommes

Préparation : **25 minutes** • Cuisson : **1 heure 30 minutes** • Quantité : **4 portions**

3 pommes Délicieuse jaune

15 ml (1 c. à soupe) de jus de citron

15 ml (1 c. à soupe) d'huile de canola

6 côtelettes de 2,5 cm (1 po) d'épaisseur, le gras enlevé

12 oignons perlés

125 ml (½ tasse) de sirop d'érable

125 ml (½ tasse) de bouillon de poulet

30 ml (2 c. à soupe) de sauce Worcestershire

15 ml (1 c. à soupe) de vinaigre de cidre

Sel et poivre au goût

1. Peler et couper les pommes en quartiers. Déposer les quartiers dans une assiette et arroser de jus de citron. Réserver.

2. Dans une casserole à fond épais ou dans une cocotte, chauffer l'huile à feu moyen-vif. Saisir les côtelettes 1 minute de chaque côté. Déposer les côtelettes dans une assiette.

3. Retirer l'excédent de gras de la casserole. Ajouter les oignons, les pommes et le sirop d'érable. Remettre les côtelettes dans la casserole.

4. Chauffer jusqu'aux premiers frémissements puis verser le bouillon, la sauce Worcestershire et le vinaigre. Assaisonner.

5. Couvrir et laisser mijoter à feu doux de 1 heure 30 minutes à 2 heures, jusqu'à ce que la chair des côtelettes soit tendre.

À LA MIJOTEUSE

Suivre les étapes 1 et 2. Éponger les côtelettes pour retirer l'excédent de gras. Déposer les quartiers de pommes puis les côtelettes dans la mijoteuse. Verser 80 ml (⅓ de tasse) de sirop d'érable et 80 ml (⅓ de tasse) de bouillon. Ajouter le reste des ingrédients. Couvrir et cuire à faible intensité de 8 à 10 heures.

J'aime avec...

Purée de patates douces et pommes de terre

Peler et couper en cubes 4 patates douces et 2 pommes de terre. Déposer dans une casserole. Couvrir d'eau froide et saler. Porter à ébullition et cuire jusqu'à tendreté. Égoutter et réduire en purée. Incorporer 80 ml (⅓ de tasse) de lait chaud, 30 ml (2 c. à soupe) de beurre et 45 ml (3 c. à soupe) de ciboulette fraîche hachée. Saler et poivrer.

Mijoté de porc de Madras

Préparation : **20 minutes** • Cuisson : **45 minutes** • Quantité : **de 4 à 6 portions**

30 ml (2 c. à soupe) d'huile d'arachide
....
755 g (1 ⅔ lb) de cubes de porc à ragoût
....
2 oignons hachés
....
15 ml (1 c. à soupe) de gingembre haché
....
15 ml (1 c. à soupe) de cari
....
10 ml (2 c. à thé) d'ail haché
....
1 boîte de lait de coco de 400 ml
....
500 ml (2 tasses) de bouillon de légumes
....
30 ml (2 c. à soupe) de pâte de tomates
....
Sel et poivre au goût
....
2 pommes coupées en dés
....
2 bananes coupées en dés
....
125 ml (½ tasse) d'amandes entières
....
60 ml (¼ de tasse) de raisins secs
....

1. Dans une casserole ou dans une cocotte, chauffer l'huile à feu moyen. Faire dorer les cubes de porc de 2 à 3 minutes.

2. Ajouter les oignons, le gingembre, le cari et l'ail. Cuire de 1 à 2 minutes.

3. Incorporer le lait de coco, le bouillon, la pâte de tomates et l'assaisonnement. Ajouter les fruits et porter à ébullition.

4. Couvrir et laisser mijoter 45 minutes à feu doux.

5. Une fois la cuisson terminée, ajouter les amandes et les raisins. Remuer. Laisser reposer 5 minutes avant de servir.

À LA MIJOTEUSE

Suivre l'étape 1. Dans un bol, mélanger le gingembre avec le cari, la pâte de tomates et l'ail. Verser le lait de coco et 125 ml (½ tasse) de bouillon de légumes. Déposer dans la mijoteuse les cubes de porc, les oignons et la préparation au lait de coco. Couvrir et cuire 7 heures à faible intensité. Ajouter les fruits et l'assaisonnement. Poursuivre la cuisson 45 minutes. Ajouter les derniers ingrédients et poursuivre la cuisson 15 minutes.

J'aime parce que...

Ça nous transporte en Inde !

Notre palais est agréablement surpris par les notes épicées de l'Orient dans cette recette traditionnelle du sud de l'Inde. Cari, lait de coco, gingembre, huile d'arachide, amandes et fruits s'entremêlent pour nous plonger dans un monde merveilleux où l'originalité des saveurs est reine. Accompagné de pain naan ou de riz basmati, ce plat au parfum enivrant saura nous faire voyager au pays des Mille et une nuits.

Casserole de porc au cidre

Préparation : **20 minutes** • Cuisson : **45 minutes** • Quantité : **4 portions**

2 carottes

2 courgettes

1 poivron rouge

1 poivron jaune

2 branches de céleri

2 pommes vertes

45 ml (3 c. à soupe) de farine

1 kg (2,2 lb) de cubes de porc à ragoût

15 ml (1 c. à soupe) d'huile de canola

2 oignons hachés

750 ml (3 tasses) de cidre

1 feuille de laurier

Sel et poivre au goût

1 tige de thym

1. Tailler les légumes et les pommes en morceaux de tailles similaires. Déposer dans une cocotte.

2. Dans un bol, verser la farine. Ajouter les cubes de porc et remuer afin de bien fariner la viande.

3. Dans une poêle, chauffer l'huile à feu moyen-élevé. Faire dorer les cubes de porc à feu vif. Déposer dans la cocotte. Jeter le gras de cuisson contenu dans la poêle.

4. Dans la même poêle, cuire les oignons 3 minutes.

5. Verser 250 ml (1 tasse) de cidre et porter à ébullition. Verser dans la cocotte avec le reste du cidre, le laurier, le sel et poivre.

6. Couvrir et cuire 45 minutes à feu moyen.

7. Ajouter le thym et poursuivre la cuisson 5 minutes.

 À LA MIJOTEUSE
Suivre les étapes 1 à 4. Verser 250 ml (1 tasse) de cidre et porter à ébullition. Verser dans la mijoteuse avec 125 ml (½ tasse) de cidre, le laurier et l'assaisonnement. Couvrir et cuire de 7 à 9 heures à faible intensité. Ajouter le thym et poursuivre la cuisson 1 heure.

 *J'aime aussi...*

Avec du bœuf ou du tofu

Faites changement ! Cette recette sera tout aussi savoureuse avec des cubes de bœuf à ragoût ou des cubes de tofu ferme. À la mijoteuse, le bœuf demandera un temps de cuisson de 8 à 10 heures et le tofu, de 4 à 6 heures (les légumes doivent être coupés en dés de la même grosseur que ceux de tofu). Vous désirez mitonner ces plats sur la cuisinière ? Pour le bœuf, comptez de 2 heures à 2 heures 30 minutes de cuisson et pour le tofu, de 30 à 35 minutes.

Rôti de porc au parfum du Maghreb

Préparation : **25 minutes** • Cuisson : **2 heures** • Quantité : **de 4 à 6 portions**

POUR LE RÔTI DE PORC :

900 g (2 lb) de rôti de longe de porc

2 gousses d'ail coupées en quatre

60 ml (¼ de tasse) de beurre, ramolli

15 ml (1 c. à soupe) d'épices à couscous

15 ml (1 c. à soupe) d'huile d'olive

16 pommes de terre grelots, coupées en deux

16 oignons perlés

1 boîte de consommé de bœuf de 284 ml

POUR LA SAUCE BARBECUE :

250 ml (1 tasse) de ketchup

125 ml (½ tasse) de bière blonde

125 ml (½ tasse) de sauce chili

30 ml (2 c. à soupe) de mélasse

30 ml (2 c. à soupe) de vinaigre de cidre

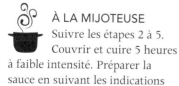

À LA MIJOTEUSE
Suivre les étapes 2 à 5. Couvrir et cuire 5 heures à faible intensité. Préparer la sauce en suivant les indications présentées à l'étape 7.

1. Préchauffer le four à 180 °C (350 °F).

2. Inciser la longe de porc en quelques endroits et insérer les morceaux d'ail dans les incisions.

3. Dans un bol, mélanger le beurre avec les épices à couscous.

4. Dans une poêle, chauffer l'huile à feu moyen. Saisir la longe sur toutes ses faces. Déposer dans une cocotte et badigeonner avec le mélange d'épices.

5. Répartir les pommes de terre et les oignons sur le pourtour du rôti. Verser le consommé.

6. Couvrir et cuire au four 2 heures, jusqu'à ce que la viande atteigne une température interne de 68 °C (155 °F) sur un thermomètre à cuisson.

7. Dans une casserole, mélanger tous les ingrédients de la sauce. Porter à ébullition et laisser mijoter à découvert et à feu doux de 25 à 30 minutes. Servir avec le rôti.

J'aime aussi...

Le porc : un choix santé !

Vous pensez que le porc est trop gras ? Détrompez-vous ! Non seulement il contient de bonnes protéines, des minéraux et des vitamines essentielles, mais il présente également une teneur en gras allégée de moitié par rapport à il y a deux décennies. La variété actuelle des modes de cuisson nous permet aussi de contrôler la quantité de gras consommée. De plus, la diversité des morceaux à se mettre sous la dent (longe, côtes de dos, faux filet, etc.) nous offre un large éventail de possibilités !

Mijoté de porc à la thaï

Préparation : 25 minutes • **Cuisson : 1 heure 30 minutes** • **Quantité : 4 portions**

755 g (1 ⅔ lb) de cubes de porc à ragoût
....
30 ml (2 c. à soupe) de pâte de cari rouge
....
30 ml (2 c. à soupe) d'huile de canola
....
1 oignon émincé
....
3 carottes coupées en biseaux
....
2 poivrons jaunes coupés en lanières
....
15 ml (1 c. à soupe) d'ail haché
....

15 ml (1 c. à soupe) de gingembre haché
....
15 ml (1 c. à soupe) de sauce de poisson
....
30 ml (2 c. à soupe) de jus de lime
....
60 ml (¼ de tasse) de sauce soya
....
30 ml (2 c. à soupe) de miel
....
2 boîtes de lait de coco de 398 ml chacune
....
Quelques feuilles de coriandre fraîche
....

1. Assécher la viande à l'aide de papier absorbant. Dans un bol, mélanger les cubes de porc avec la pâte de cari rouge. Remuer afin de bien enrober la viande.

2. Dans une casserole à fond épais ou dans une cocotte, chauffer l'huile à feu moyen-vif. Faire dorer les cubes de viande sur toutes les faces, en procédant par petites quantités. Déposer la viande dans une assiette.

3. Retirer l'excédent de gras de la casserole. Remettre la viande dans la casserole. Ajouter le reste des ingrédients, à l'exception de la coriandre.

4. Chauffer jusqu'aux premiers frémissements. Couvrir et cuire à feu doux 1 heure 30 minutes, jusqu'à ce que la chair se défasse à la fourchette.

5. Au moment de servir, parsemer chacune des portions de coriandre.

À LA MIJOTEUSE

Suivre les étapes 1 et 2. Transférer la viande dans la mijoteuse. Ajouter 1 boîte de lait de coco et le reste des ingrédients, à l'exception de la coriandre. Couvrir et cuire à faible intensité de 6 à 8 heures. Suivre l'étape 5.

Ragoût de porc aux champignons

Préparation : **25 minutes** • Cuisson : **45 minutes** • Quantité : **6 portions**

15 ml (1 c. à soupe)
d'huile de canola
....
755 g (1 ⅔ lb) de
cubes de porc à ragoût
....
2 oignons hachés
....
3 carottes coupées
en dés
....
45 ml (3 c. à soupe)
de farine
....
30 ml (2 c. à soupe)
de moutarde de Dijon
....

750 ml (3 tasses)
de bouillon de poulet
....
250 ml (1 tasse) de vin
blanc
....
Sel et poivre au goût
....
10 champignons blancs
....
10 shiitakes
....
6 pleurotes
....
30 ml (2 c. à soupe)
d'estragon frais haché
....

1. Dans une casserole ou dans une cocotte, chauffer l'huile à feu moyen-élevé. Faire dorer les cubes de porc avec les oignons de 2 à 3 minutes.

2. Ajouter les carottes. Saupoudrer de farine et remuer. Ajouter la moutarde, le bouillon et le vin. Assaisonner. Couvrir et laisser mijoter 30 minutes à feu doux.

3. Pendant ce temps, émincer les champignons.

4. Une fois le temps de cuisson écoulé, ajouter les champignons et l'estragon dans la casserole. Prolonger la cuisson de 15 minutes, jusqu'à ce que la viande soit tendre.

 À LA MIJOTEUSE

Suivre l'étape 1. Une fois les cubes de porc bien dorés, transférer dans la mijoteuse avec 125 ml (½ tasse) de vin blanc, 375 ml (1 ½ tasse) de bouillon et le reste des ingrédients. Couvrir et cuire à faible intensité de 7 à 8 heures.

Rôti mijoté à la tomate et aux noix de cajou

Préparation : **20 minutes** • Cuisson : **45 minutes** • Quantité : **de 4 à 6 portions**

30 ml (2 c. à soupe) d'huile d'olive
....
1 rôti de longe de porc désossé de 1 kg (2,2 lb)
....
2 oignons hachés
....
2 carottes coupées en dés
....
15 ml (1 c. à soupe) d'ail haché
....
5 ml (1 c. à thé) de sauge fraîche hachée
....

6 à 8 pistils de safran
....
Sel et poivre au goût
....
250 ml (1 tasse) de vin blanc
....
250 ml (1 tasse) de bouillon de légumes
....
500 ml (2 tasses) de sauce tomate
....
250 ml (1 tasse) de noix de cajou
....
15 ml (1 c. à soupe) de gingembre haché
....

1. Dans une casserole, chauffer l'huile à feu moyen. Faire dorer la viande sur toutes les faces.

2. Ajouter les autres ingrédients, à l'exception des noix et du gingembre. Porter à ébullition.

3. Couvrir et laisser mijoter à feu doux 30 minutes.

4. Ajouter les noix de cajou et le gingembre. Prolonger la cuisson de 15 minutes.

 **À LA MIJOTEUSE**
Suivre l'étape 1. Transférer la viande dans la mijoteuse avec 125 ml (½ tasse) de vin blanc, 125 ml (½ tasse) de bouillon et 250 ml (1 tasse) de sauce tomate. Ajouter le reste des ingrédients, à l'exception des cajous. Couvrir et cuire à faible intensité de 7 à 8 heures. Au moment de servir, ajouter les cajous.

Mijoté de porc aux légumes-racines

Préparation : **20 minutes** • Cuisson : **45 minutes** • Quantité : **de 4 à 6 portions**

2 oignons

2 panais

1 rutabaga

2 carottes

3 pommes de terre

15 ml (1 c. à soupe)
d'huile de canola

755 g (1 ⅔ lb)
de cubes de porc
à ragoût

750 ml (3 tasses)
de bouillon de poulet

1 bouteille de bière
blonde de 341 ml

45 ml (3 c. à soupe)
de mélasse

10 ml (2 c. à thé)
d'ail haché

1 feuille de laurier

Sel et poivre au goût

1. Hacher les oignons et couper le reste des légumes en cubes de même grosseur.

2. Dans une casserole ou dans une cocotte, faire chauffer l'huile à feu moyen. Faire dorer la viande avec les oignons.

3. Ajouter les légumes et le reste des ingrédients. Porter à ébullition.

4. Couvrir et laisser mijoter à feu doux 45 minutes, jusqu'à ce que la viande soit tendre.

À LA MIJOTEUSE

Suivre les étapes 1 et 2. Déposer tous les ingrédients dans la mijoteuse en utilisant 125 ml (½ tasse) de bière et 375 ml (1 ½ tasse) de bouillon. Couvrir et cuire à faible intensité de 7 à 8 heures.

Cari de porc épicé aux pommes

Préparation : 20 minutes • Cuisson : 1 heure • Quantité : de 4 à 6 portions

30 ml (2 c. à soupe)
d'huile de canola

900 g (2 lb) de cubes
de porc à ragoût

2 oignons hachés

15 ml (1 c. à soupe)
d'ail haché

15 ml (1 c. à soupe)
de cari

5 ml (1 c. à thé)
de curcuma

1 boîte de lait
de coco de 400 ml

250 ml (1 tasse) de
bouillon de poulet

2 pommes Cortland
pelées et coupées
en cubes

125 ml (½ tasse) de
poudre d'amandes

15 ml (1 c. à soupe)
de gingembre haché

Sel et poivre au goût

1. Dans une casserole, chauffer l'huile à feu moyen. Faire dorer les cubes de porc sur toutes les faces, en procédant par petites quantités.

2. Ajouter les oignons, l'ail, le cari et le curcuma. Cuire 1 minute.

3. Ajouter le reste des ingrédients. Couvrir et laisser mijoter 1 heure à feu doux.

 À LA MIJOTEUSE
Suivre les étapes 1 et 2. Transférer la préparation dans la mijoteuse. Ajouter le reste des ingrédients en utilisant 125 ml (½ tasse) de bouillon. Couvrir et cuire de 5 à 7 heures à faible intensité.

Mijoté de porc aux pommes et canneberges

Préparation : 25 minutes • Cuisson : 35 minutes • Quantité : 4 portions

30 ml (2 c. à soupe) d'huile d'olive

755 g (1 ⅔ lb) de cubes de porc

20 oignons perlés

2 carottes coupées en cubes

2 pommes Cortland, pelées et coupées en cubes

20 champignons coupés en quatre

10 ml (2 c. à thé) d'ail haché

1 tige de thym

1 feuille de laurier

Sel et poivre au goût

30 ml (2 c. à soupe) de farine

500 ml (2 tasses) de bouillon de poulet

250 ml (1 tasse) de canneberges

1. Dans une casserole, chauffer l'huile à feu moyen. Faire dorer les cubes de porc sur toutes les faces, en procédant par petites quantités. Transférer la viande dans une assiette.

2. Dans la même casserole, cuire les oignons, les carottes et les pommes de 3 à 4 minutes en remuant.

3. Remettre la viande dans la casserole. Ajouter les champignons, l'ail, les fines herbes et l'assaisonnement. Saupoudrer de farine et remuer. Verser le bouillon et porter à ébullition. Couvrir et laisser mijoter à feu doux 30 minutes

4. Incorporer les canneberges et prolonger la cuisson de 5 à 8 minutes.

À LA MIJOTEUSE

Suivre les étapes 1 et 2. Transférer la viande, les légumes et les pommes dans la mijoteuse. Saupoudrer de farine et remuer. Ajouter le reste des ingrédients en utilisant 250 ml (1 tasse) de bouillon. Couvrir et cuire à faible intensité de 6 à 8 heures.

Porc africain

Préparation : 25 minutes • Cuisson : 1 heure • Quantité : 4 portions

30 ml (2 c. à soupe)
d'huile d'olive

2 oignons hachés

2 branches de céleri
émincées

15 ml (1 c. à soupe)
d'ail haché

20 champignons
coupés en deux

2 carottes coupées
en rondelles

15 ml (1 c. à soupe)
de gingembre haché

680 g (1 ½ lb) de cubes
de porc à ragoût

1 poivron vert coupé
en lanières

POUR LA SAUCE :

1 boîte de tomates
en dés de 540 ml

2 boîtes de soupe
aux tomates condensée
de 284 ml chacune

80 ml (⅓ de tasse)
de cassonade

60 ml (¼ de tasse) de
vinaigre de vin rouge

15 ml (1 c. à soupe) de
sauce Worcestershire

Sel et poivre au goût

1. Dans une poêle, chauffer l'huile à feu
moyen. Faire dorer les oignons quelques
minutes. Ajouter le céleri, l'ail, les champignons, les carottes et le gingembre. Cuire
de 1 à 2 minutes.

2. Ajouter la viande et faire dorer les cubes
sur toutes les faces, en procédant par petites
quantités.

3. Mélanger ensemble les ingrédients de
la sauce.

4. Ajouter le poivron et la sauce. Couvrir
et cuire à feu doux 1 heure.

 À LA MIJOTEUSE
Suivre les étapes 1 et 2. Déposer
les légumes et la viande dans la
mijoteuse. Suivre l'étape 3 en utilisant 1 boîte
de soupe aux tomates. Verser dans la mijoteuse. Couvrir et cuire à faible intensité
de 5 à 7 heures. Ajouter le poivron et poursuivre la cuisson 1 heure.

Ragoût de boulettes

Préparation : **25 minutes** • Cuisson : **35 minutes** • Quantité : **de 4 à 6 portions**

1 oignon haché

30 ml (2 c. à soupe)
de persil frais haché

3 pincées de cannelle

3 pincées de muscade

3 pincées de clous
de girofle

Sel et poivre au goût

1 kg (2,2 lb) de bœuf
haché maigre

30 ml (2 c. à soupe)
de beurre

750 ml (3 tasses)
de bouillon de poulet

60 ml (¼ de tasse)
de farine

60 ml (¼ de tasse)
d'eau froide

1. Dans un bol, mélanger l'oignon avec le persil et les épices. Incorporer la viande.

2. Façonner des boulettes en utilisant 45 ml (3 c. à soupe) de préparation pour chacune d'elles.

3. Dans une grande casserole, faire fondre le beurre à feu moyen. Faire revenir les boulettes 5 minutes.

4. Verser le bouillon. Couvrir et laisser mijoter à feu doux de 30 à 45 minutes, jusqu'à ce que l'intérieur des boulettes ait perdu sa teinte rosée. Retirer les boulettes et réserver.

5. Dans un bol, délayer la farine dans l'eau froide. Incorporer au bouillon en fouettant. Continuer de fouetter jusqu'à épaississement.

6. Remettre les boulettes dans la casserole et laisser mijoter 5 minutes.

À LA MIJOTEUSE

Suivre les étapes 1 à 3. Déposer les boulettes dans la mijoteuse. Dans un bol, délayer la farine dans 375 ml (1 ½ tasse) de bouillon et verser sur les boulettes. Couvrir et cuire de 6 à 8 heures à faible intensité.

Rapido presto

La mijoteuse est plus que jamais complice de la vie moderne avec ces recettes express! Peu d'ingrédients et une préparation en 15 minutes ou moins : voilà la promesse. Concoctez rapidement des sauces bien relevées, des viandes et légumes cuits à point, des plats en apparence élaborés, mais d'une désarmante simplicité.

De la magie en mijoté!

Pennes à la provençale

Préparation : **15 minutes** • Cuisson : **22 minutes** • Quantité : **4 portions**

45 ml (3 c. à soupe) d'huile d'olive

1 oignon haché

1 courgette coupée en cubes

1 aubergine moyenne coupée en cubes

15 ml (1 c. à soupe) d'ail haché

3 tomates italiennes coupées en quartiers

1 boîte de sauce tomate de 680 ml

Sel et poivre au goût

1 paquet de pennes de 500 g

30 ml (2 c. à soupe) de basilic frais haché

20 olives noires

1. Dans une casserole, chauffer l'huile à feu moyen. Faire revenir l'oignon avec la courgette, l'aubergine et l'ail de 4 à 5 minutes.

2. Ajouter les tomates et la sauce. Assaisonner et mélanger. Couvrir et cuire de 20 à 25 minutes à feu moyen.

3. Pendant ce temps, cuire les pennes *al dente* dans une casserole d'eau bouillante salée. Égoutter.

4. Incorporer le basilic et les olives à la sauce. Couvrir et poursuivre la cuisson 2 minutes.

5. Au moment de servir, ajouter les pâtes dans la casserole et remuer.

 À LA MIJOTEUSE
Suivre l'étape 1. Déposer les légumes dans la mijoteuse avec les tomates et la sauce. Assaisonner et mélanger. Couvrir et cuire de 4 à 6 heures à faible intensité ou de 2 à 3 heures à intensité élevée. Incorporer le basilic et les olives. Couvrir et poursuivre la cuisson à intensité élevée de 15 à 30 minutes. Pendant ce temps, cuire les pennes *al dente* dans une casserole d'eau bouillante salée. Égoutter. Au moment de servir, ajouter les pâtes dans la mijoteuse et remuer.

Le saviez-vous ?

Réussir un plat de pâtes à la mijoteuse

L'idée de cuire du riz ou des pâtes à la mijoteuse ne vous semble pas gagnante ? Il est vrai que ce ne sont pas les aliments vedettes du mijoté. Néanmoins, il est possible de les ajouter, déjà cuits, dans les 30 dernières minutes de cuisson. Pour le riz, choisissez une variété étuvée à grains longs, comme le basmati.

Veau mijoté aux agrumes

Préparation : **15 minutes** • Cuisson : **5 minutes** • Quantité : **4 portions**

680 g (1 ½ lb) de rôti de longe
de veau
....
30 ml (2 c. à soupe) de farine
....
30 ml (2 c. à soupe) d'huile
de canola
....
30 ml (2 c. à soupe) d'échalotes
sèches hachées
....
250 ml (1 tasse) de vin blanc sec
....
375 ml (1 ½ tasse) de fond
de veau
....
125 ml (½ tasse) de jus d'orange
....
30 ml (2 c. à soupe) de jus de citron
....

 À LA MIJOTEUSE
Fariner le rôti. Suivre l'étape 3. Une fois le rôti bien doré, transférer dans la mijoteuse. Verser 125 ml ($\frac{1}{2}$ tasse) de vin blanc, 180 ml ($\frac{3}{4}$ de tasse) de fond de veau, 60 ml ($\frac{1}{4}$ de tasse) de jus d'orange et le jus de citron. Ajouter les échalotes. Couvrir et cuire à faible intensité de 4 à 5 heures.

1. Trancher le rôti de longe.

2. Dans un bol, verser la farine. Fariner les tranches de veau et secouer pour enlever l'excédent.

3. Dans une poêle, chauffer l'huile à feu moyen. Faire dorer la viande 2 minutes de chaque côté, en prenant soin de la garder rosée. Transférer dans une assiette et réserver. Jeter l'huile de cuisson.

4. Dans la même poêle, faire revenir les échalotes. Verser le vin blanc et laisser mijoter à feu moyen, jusqu'à ce que la préparation ait réduit des trois quarts.

5. Incorporer le fond de veau, le jus d'orange et le jus de citron. Laisser mijoter à feu moyen, jusqu'à ce que le mélange ait réduit de moitié. Ajouter la viande et cuire de 1 à 2 minutes.

J'aime aussi...

Avec des pommes

Vous pouvez varier cette recette en ajoutant des pommes jaunes ou même des poires. Pour ce faire, vous n'avez qu'à éplucher et couper en quartiers 3 pommes ou 3 poires et à les ajouter dans la mijoteuse avec le reste des ingrédients. Vous obtiendrez une nouvelle recette, tout aussi délicieuse !

Duo de saumon et tilapia pochés

Préparation : **15 minutes** • Cuisson : **8 minutes** • Quantité : **4 portions**

250 ml (1 tasse) de bisque de homard

125 ml (½ tasse) de vin blanc sec

1 poireau émincé

6 à 8 pistils de safran

225 g (½ lb) de filet de saumon

400 g (environ 1 lb) de filets de tilapia

2 tomates coupées en dés

1 à 2 pincées de piment de Cayenne

Sel au goût

15 ml (1 c. à soupe) de ciboulette fraîche hachée

1. Dans une casserole, porter à ébullition la bisque avec le vin blanc, le poireau et le safran.

2. Ajouter les poissons, les tomates et le piment de Cayenne. Saler. Laisser mijoter à feu doux de 8 à 10 minutes, jusqu'à ce que les poissons soient cuits. Si désiré, parsemer de ciboulette au moment de servir.

 À LA MIJOTEUSE

Suivre l'étape 1 en utilisant 60 ml ($\frac{1}{4}$ de tasse) de vin blanc. Ajouter le reste des ingrédients, à l'exception de la ciboulette. Transférer la préparation dans la mijoteuse. Couvrir et cuire à faible intensité de 3 à 4 heures. Au moment de servir, parsemer de ciboulette.

Le saviez-vous ?

Le poisson dans les plats mijotés

Les poissons et fruits de mer seront plus appréciés par vos papilles s'ils ont été incorporés en fin de cuisson, ce qui préserve leur chair tendre et leur saveur subtile. Une heure à basse température dans un court-bouillon peut donc suffire largement pour rehausser leur goût. Le plus beau, c'est que cette technique de pochage adaptée à la mijoteuse convient à la plupart des poissons à chair ferme.

Tortellinis aux légumes méditerranéens

Préparation : **10 minutes** • Cuisson : **10 minutes** • Quantité : **4 portions**

1 boîte de sauce tomate
de 680 ml
......
125 ml (½ tasse)
de bouillon de poulet
......
15 ml (1 c. à soupe)
de pesto
......
2 oignons hachés
......
5 ml (1 c. à thé) d'ail
haché
......

1 sac de mélange de
légumes méditerranéens
surgelés de 500 g
......
Sel et poivre au goût
......
700 g de tortellinis
au fromage
......
125 ml (½ tasse)
de parmesan râpé
......

1. Dans une grande casserole, mélanger la sauce tomate avec le bouillon, le pesto, les oignons et l'ail. Porter à ébullition.

2. Ajouter les légumes surgelés. Saler et poivrer. Couvrir et laisser mijoter 10 minutes.

3. Pendant ce temps, cuire les tortellinis *al dente* dans une casserole d'eau bouillante salée. Égoutter.

4. Au moment de servir, répartir les pâtes dans les assiettes. Napper de sauce et saupoudrer de parmesan.

À LA MIJOTEUSE

Déposer la sauce tomate, le bouillon, le pesto, les oignons et l'ail dans la mijoteuse. Rincer les légumes surgelés sous l'eau froide. Égoutter et ajouter dans la mijoteuse. Saler et poivrer. Couvrir et cuire de 6 à 8 heures à faible intensité. Au moment du repas, cuire les tortellinis *al dente* dans une casserole d'eau bouillante salée. Égoutter. Répartir les pâtes dans les assiettes. Napper de sauce et saupoudrer de parmesan.

Farfalles au poulet à la florentine

Préparation : **15 minutes** • Cuisson : **10 minutes** • Quantité : **4 portions**

340 g de farfalles
(ou autres pâtes courtes)

30 ml (2 c. à soupe)
d'huile d'olive

3 poitrines de poulet,
sans peau et coupées
en dés

2 oignons hachés

1 paquet de fromage à la
crème de 250 g, ramolli

125 ml (½ tasse) de lait

1 fromage de chèvre (de
type Capriny ou Chèvre
des Alpes) de 150 g

1 contenant de bébés
épinards de 142 g

30 ml (2 c. à soupe)
de basilic frais haché

Sel et poivre au goût

1. Dans une casserole d'eau bouillante salée,
cuire les pâtes *al dente*. Égoutter.

2. Pendant ce temps, chauffer l'huile à feu
moyen dans une poêle. Faire dorer le poulet
et les oignons de 2 à 3 minutes.

3. Dans une casserole, chauffer à feu moyen
le fromage à la crème avec le lait et le fromage
de chèvre. Remuer jusqu'à ce que les fromages
soient fondus.

4. Incorporer le mélange de poulet et
d'oignons, les pâtes, les bébés épinards
et le basilic. Saler et poivrer. Chauffer
de 2 à 3 minutes.

À LA MIJOTEUSE

Suivre l'étape 2 et déposer la préparation
dans la mijoteuse. Suivre l'étape 3 et transférer dans la mijoteuse. Couvrir et cuire de 4 à 6 heures
à faible intensité. Incorporer le basilic et les épinards.
Poursuivre la cuisson de 15 à 30 minutes à intensité
élevée. Pendant ce temps, cuire les pâtes *al dente* dans
une casserole d'eau bouillante salée. Égoutter. Au
moment de servir, incorporer les pâtes à la sauce.

Agnolottis aux crevettes

Préparation : 15 minutes • Cuisson : 10 minutes • Quantité : 4 portions

1 boîte de bisque
de homard de 398 ml

60 ml (¼ de tasse)
de vin blanc

15 ml (1 c. à soupe)
d'ail haché

1 oignon haché

60 ml (¼ de tasse)
de fumet de poisson

6 à 8 pistils de safran

Sel et poivre au goût

12 à 18 crevettes
moyennes (calibre 31/40),
crues et décortiquées

15 ml (1 c. à soupe)
d'estragon frais haché

1 paquet d'agnolottis
au fromage ou autres
pâtes farcies de 350 g

1. Dans une casserole, mélanger la bisque de homard avec le vin blanc, l'ail, l'oignon, le fumet de poisson, le safran et l'assaisonnement. Porter à ébullition et laisser mijoter à feu doux de 6 à 8 minutes.

2. Incorporer les crevettes et l'estragon. Couvrir et poursuivre la cuisson de 3 à 4 minutes.

3. Pendant ce temps, cuire les pâtes *al dente* dans une casserole d'eau bouillante salée. Égoutter.

4. Au moment de servir, ajouter les pâtes dans la casserole et remuer.

À LA MIJOTEUSE

Dans la mijoteuse, mélanger la bisque de homard avec le vin blanc, l'ail, l'oignon, le fumet de poisson, le safran et l'assaisonnement. Couvrir et cuire de 4 à 6 heures à faible intensité ou de 2 à 3 heures à intensité élevée. Incorporer les crevettes et l'estragon. Couvrir et poursuivre la cuisson de 15 à 30 minutes à intensité élevée. Suivre les étapes 3 et 4.

Côtelettes de porc à l'indienne

Préparation : **10 minutes** • Cuisson : **18 minutes** • Quantité : **de 4 à 6 portions**

15 ml (1 c. à soupe) d'huile de canola

4 à 6 côtelettes de porc de 2 cm (¾ de po) d'épaisseur

1 oignon haché

250 ml (1 tasse) de bouillon de poulet

1 boîte de sauce tikka massala (de type Sharwood's) de 395 ml

5 ml (1 c. à thé) de thym frais haché

20 pommes de terre grelots coupées en deux

Sel et poivre au goût

1. Dans une poêle, chauffer l'huile à feu moyen. Cuire les côtelettes de 1 à 2 minutes de chaque côté. Ajouter l'oignon et cuire 1 minute.

2. Verser le bouillon, la sauce et ajouter les derniers ingrédients. Porter à ébullition.

3. Couvrir et cuire de 18 à 20 minutes à feu doux-moyen.

À LA MIJOTEUSE

Dans la mijoteuse, mélanger 125 ml (½ tasse) de bouillon avec la sauce tikka, le thym et l'assaisonnement. Couper les pommes de terre en deux et déposer dans la mijoteuse. Suivre l'étape 1 et transférer dans la mijoteuse. Couvrir et cuire de 6 à 8 heures à faible intensité.

Poitrines de poulet, sauce à l'asiatique

Préparation : **10 minutes** • Marinage : **3 heures** • Cuisson : **15 minutes** • Quantité : **4 portions**

80 ml (⅓ de tasse)
de sauce teriyaki

30 ml (2 c. à soupe)
de miel

125 ml (½ tasse)
de bouillon de poulet

250 ml (1 tasse)
de jus d'orange

10 ml (2 c. à thé)
de gingembre haché

10 ml (2 c. à thé)
d'ail haché

4 poitrines de poulet,
sans peau

15 ml (1 c. à soupe)
de graines de sésame

60 ml (¼ de tasse)
d'oignons verts émincés

 À LA MIJOTEUSE
Suivre les étapes 1 et 2. Déposer le poulet et
la sauce dans la mijoteuse. Couvrir et cuire
de 6 à 8 heures à faible intensité. Suivre l'étape 4.

1. Dans un bol, fouetter la sauce teriyaki
avec le miel, le bouillon, le jus d'orange,
le gingembre et l'ail. Verser dans un sac
hermétique.

2. Couper les poitrines de poulet en deux sur
l'épaisseur. Ajouter les poitrines de poulet
dans le sac. Retirer l'air du sac et déposer
dans un bol. Laisser mariner au frais de 3 à
24 heures.

3. Préchauffer le four à 190 °C (375 °F). Déposer
le poulet et la marinade dans un plat allant au
four. Cuire au four 15 minutes, en retournant
les morceaux de poulet à mi-cuisson.

4. Au moment de servir, saupoudrer de
graines de sésame et d'oignons verts.

Mijoté de bœuf au vin rouge

Préparation : **15 minutes** • Cuisson : **25 minutes** • Quantité : **4 portions**

30 ml (2 c. à soupe)
d'huile d'olive
....
755 g (1 ⅔ lb) de cubes
de bœuf à brochettes
ou de haut de surlonge
coupé en cubes
....
1 oignon haché
....
45 ml (3 c. à soupe)
de farine
....
60 ml (¼ de tasse)
de pâte de tomates
....

250 ml (1 tasse)
de vin rouge
....
875 ml (3 ½ tasses)
de bouillon de bœuf
....
500 ml (2 tasses)
de mini-carottes
....
1 feuille de laurier
....
1 sac de pommes
de terre parisiennes
de 500 g
....

1. Dans une casserole, chauffer l'huile
à feu moyen. Faire dorer les cubes de bœuf
de 1 à 2 minutes.

2. Ajouter l'oignon et cuire 1 minute.
Saupoudrer de farine et remuer.

3. Ajouter la pâte de tomates, le vin, le
bouillon, les mini-carottes et le laurier.
Porter à ébullition. Couvrir et cuire à feu
doux 20 minutes.

4. Ajouter les pommes de terre et prolonger
la cuisson de 5 à 6 minutes.

À LA MIJOTEUSE
Suivre les étapes 1 et 2 en utilisant des
cubes de bœuf à ragoût. Transférer dans
la mijoteuse. Verser 125 ml (½ tasse) de vin rouge
et 430 ml (1 ¾ tasse) de bouillon. Ajouter les carottes,
la pâte de tomates et le laurier. Couvrir et cuire à faible
intensité de 8 à 10 heures. Ajouter les pommes de terre
et prolonger la cuisson de 30 minutes à haute intensité.

Mijoté de porc, sauce moutarde

Préparation : **15 minutes** • Cuisson : **50 minutes** • Quantité : **de 4 à 6 portions**

15 ml (1 c. à soupe)
d'huile de canola
....
680 g (1 ½ lb) de cubes
de porc à ragoût
....
125 ml (½ tasse) de
crème à cuisson 15 %
....

POUR LA SAUCE :

1 litre (4 tasses) de
bouillon de légumes
....

45 ml (3 c. à soupe)
de moutarde de Dijon
....
30 ml (2 c. à soupe)
de moutarde à l'ancienne
....
30 ml (2 c. à soupe)
de farine
....
15 ml (1 c. à soupe)
de thym frais haché
....
2 oignons hachés
....
Sel et poivre au goût
....

1. Préchauffer le four à 190 °C (375 °F).

2. Dans un grand bol, mélanger ensemble
les ingrédients de la sauce.

3. Dans une cocotte ou dans une casserole
allant au four, chauffer l'huile à feu moyen.
Faire dorer les cubes de porc quelques minutes. Transférer la viande dans une assiette
et jeter l'huile de cuisson.

4. Remettre la viande dans la cocotte et
ajouter la sauce. Couvrir et cuire au four
45 minutes.

5. Retirer du four et incorporer la crème.
Laisser mijoter 5 minutes à feu doux sur
la cuisinière.

 À LA MIJOTEUSE

Suivre les étapes 2 et 3 en utilisant 500 ml
(2 tasses) de bouillon. Une fois les cubes de
porc bien dorés, transférer dans la mijoteuse avec la
sauce. Couvrir et cuire à faible intensité de 8 à 10 heures.
Ajouter la crème et prolonger la cuisson de 15 minutes
à haute intensité.

Poitrines de poulet à la provençale

Préparation : **10 minutes** • Cuisson : **10 minutes** • Quantité : **4 portions**

30 ml (2 c. à soupe)
d'huile d'olive
....
4 poitrines de poulet,
sans peau et coupées
en morceaux
....
1 sac de mélange de
légumes méditerranéens
surgelés de 500 g
....

1 boîte de sauce
tomate de 398 ml
....
15 ml (1 c. à soupe)
de thym frais haché
....
16 olives vertes
....

1. Dans une casserole, chauffer l'huile à feu moyen. Faire dorer les poitrines de poulet 1 minute de chaque côté. Déposer dans une assiette et réserver.

2. Dans la même casserole, saisir les légumes 2 minutes.

3. Verser la sauce tomate et chauffer jusqu'aux premiers frémissements.

4. Incorporer le thym et les olives. Remettre le poulet dans la casserole.

5. Couvrir et laisser mijoter 10 minutes à feu doux, jusqu'à ce que l'intérieur de la chair des poitrines ait perdu sa teinte rosée.

À LA MIJOTEUSE
Suivre les étapes 1 et 2. Déposer tous les ingrédients dans la mijoteuse. Couvrir et cuire à faible intensité de 4 à 5 heures.

Boulettes de thon au parmesan

**Préparation : 15 minutes • Réfrigération : 15 minutes
Cuisson : 20 minutes • Quantité : de 4 à 6 portions**

250 ml (1 tasse)
de chapelure nature
....
45 ml (3 c. à soupe)
d'huile de canola
....

POUR LES BOULETTES :

4 boîtes de thon de 184 g
chacune, égoutté
....
15 ml (1 c. à soupe)
de persil frais haché
....
15 ml (1 c. à soupe)
de basilic frais haché
....
10 ml (2 c. à thé)
d'ail haché
....
60 ml (¼ de tasse)
de parmesan râpé
....
1 œuf
....
Sel et poivre au goût
....

POUR LA SAUCE :

1 boîte de sauce tomate
de 500 ml
....
250 ml (1 tasse) de fumet
de poisson
....
15 ml (1 c. à soupe)
de gingembre haché
....
5 ml (1 c. à thé) d'ail
haché
....
1 mangue coupée
en petits dés
....
Pâte de cari rouge
au goût
....
Sel au goût
....

1. Mélanger les ingrédients pour les boulettes. Avec la préparation, façonner des boulettes de 2,5 cm (1 po).

2. Rouler les boulettes dans la chapelure. Réserver au frais 15 minutes.

3. Pendant ce temps, verser les ingrédients de la sauce dans une grande casserole. Couvrir et laisser mijoter 15 minutes à feu doux.

4. Dans une poêle, chauffer l'huile à feu moyen. Faire dorer les boulettes.

5. Ajouter dans la sauce et prolonger la cuisson de 5 à 8 minutes.

 À LA MIJOTEUSE

Dans la mijoteuse, mélanger les ingrédients de la sauce. Couvrir et cuire de 3 à 4 heures à faible intensité. Suivre les étapes 1 et 2. Réserver les boulettes au frais. Une fois la cuisson de la sauce terminée, suivre l'étape 4. Transférer les boulettes dans la mijoteuse. Couvrir et cuire 15 minutes à intensité élevée.

Bœuf aux légumes à la milanaise

Préparation : **15 minutes** • Cuisson : **20 minutes** • Quantité : **4 portions**

30 ml (2 c. à soupe)
d'huile d'olive
....
755 g (1 ⅔ lb) de haut
de surlonge de bœuf,
coupé en cubes
....
60 ml (¼ de tasse)
de farine
....
4 tomates coupées
en dés
....
500 ml (2 tasses)
de bouillon de bœuf
....
3 oranges (jus et zeste)
....

1 casseau
de champignons
....
1 oignon coupé en dés
....
1 carotte coupée
en morceaux
....
10 ml (2 c. à thé)
d'ail haché
....
1 tige de thym
....
1 feuille de laurier
....
Sel et poivre
au goût
....

1. Dans une casserole, chauffer l'huile à feu moyen. Faire dorer les cubes de bœuf de 3 à 4 minutes.

2. Saupoudrer de farine et cuire 1 minute.

3. Incorporer le reste des ingrédients. Saler et poivrer. Couvrir et cuire à feu doux 20 minutes.

 À LA MIJOTEUSE
Suivre l'étape 1 en utilisant des cubes de bœuf à ragoût. Transférer la préparation dans la mijoteuse. Ajouter la farine et remuer. Verser 250 ml (1 tasse) de bouillon et ajouter le reste des ingrédients. Couvrir et cuire à faible intensité de 8 à 10 heures.

Délicieuses viandes braisées

Un après-midi de weekend. L'odeur de la viande qui cuit lentement embaume la maison. Les souvenirs associés aux délectables viandes braisées sont profondément ancrés dans notre ADN… et dans notre estomac! D'un simple mouvement de fourchette, les viandes braisées se détachent, fondent dans la bouche et remplissent nos panses gourmandes.

Poulet braisé aux 20 gousses d'ail

Préparation : **15 minutes** • Cuisson : **40 minutes** • Quantité : **4 portions**

30 ml (2 c. à soupe)
d'huile d'olive
·······
1 poulet de 1,5 kg (3 ⅓ lb)
coupé en huit morceaux
·······
1 oignon coupé
en quartiers
·······
20 gousses d'ail entières,
non pelées
·······
1 tige de romarin
·······
Sel et poivre au goût
·······
375 ml (1 ½ tasse)
de bouillon de poulet
·······

 À LA MIJOTEUSE
Suivre l'étape 2. Une fois
les morceaux de poulet bien
dorés, transférer dans la mijoteuse.
Dans la casserole, ajouter l'oignon
et les gousses d'ail. Cuire à feu
moyen de 1 à 2 minutes. Verser
180 ml (¾ de tasse) de bouillon
et porter à ébullition. Transférer
la préparation dans la mijoteuse.
Assaisonner et ajouter le romarin.
Couvrir et cuire à faible intensité
de 6 à 8 heures.

1. Préchauffer le four à 205 °C (400 °F).

2. Dans une casserole allant au four ou
dans une cocotte, chauffer l'huile à feu
moyen-vif. Faire dorer les morceaux de poulet
de 1 à 2 minutes de chaque côté. Déposer
les morceaux de poulet dans une assiette.

3. Retirer l'excédent de gras de la casserole
puis y remettre les morceaux de poulet.
Ajouter l'oignon, les gousses d'ail, le romarin
et l'assaisonnement. Cuire à feu moyen de
1 à 2 minutes.

4. Verser le bouillon et porter à ébullition.
Couvrir et cuire au four 30 minutes.

5. Retirer le couvercle et prolonger la cuisson
de 10 minutes, jusqu'à ce que le poulet soit
doré et se défasse à la fourchette.

J'aime parce que…
Ça ne goûte pas trop l'ail !

Vous n'êtes pas certain de vouloir suivre la recette à la lettre,
avec autant de gousses ? Ne renoncez pas aussi vite ! Même si l'ail
est reconnu pour son goût prononcé, lorsqu'il mijote tranquillement dans son enveloppe, sa saveur se fait plus subtile. Elle
s'atténue, adoptant même un petit côté caramélisé… de quoi
parfumer votre volaille à souhait !

Agneau braisé façon couscous

Préparation : **20 minutes** • Cuisson : **1 heure** • Quantité : **de 4 à 6 portions**

30 ml (2 c. à soupe) d'huile d'olive

1 kg (2,2 lb) d'agneau (épaule ou poitrine) coupé en cubes

250 ml (1 tasse) de pois chiches, rincés et égouttés

500 ml (2 tasses) de tomates broyées

500 ml (2 tasses) de bouillon de légumes

2 carottes coupées en bâtonnets

1 navet coupé en bâtonnets

4 branches de céleri coupées en bâtonnets

2 poivrons rouges coupés en lanières

4 tomates coupées en dés

2 courgettes coupées en bâtonnets

1 tige de thym

1 feuille de laurier

3 gousses d'ail écrasées

15 ml (1 c. à soupe) de cumin

10 ml (2 c. à thé) de curcuma

Sel au goût

Harissa au goût

1. Dans une cocotte, faire chauffer l'huile à feu moyen. Faire dorer les morceaux de viande sur toutes les faces. Déposer la viande dans une assiette et jeter la graisse de cuisson.

2. Dans la même cocotte, déposer le reste des ingrédients et remettre l'agneau. Laisser mijoter de 1 heure à 1 heure 30 minutes à feu doux.

À LA MIJOTEUSE

En utilisant une poêle, suivre l'étape 1. Égoutter la viande. Déposer les légumes dans le fond de la mijoteuse et ajouter la viande. Verser 250 ml (1 tasse) de tomates broyées et 250 ml (1 tasse) de bouillon de légumes. Ajouter le reste des ingrédients, à l'exception du thym. Couvrir et cuire de 7 à 9 heures à faible intensité. Ajouter le thym et poursuivre la cuisson 1 heure.

Le saviez-vous ?

C'est quoi la harissa ?

Cette sauce à base de piments broyés enrichie d'épices, tel le cumin, est l'assaisonnement traditionnel des mets arabes, comme le couscous et le tajine. Puisque la harissa est assez piquante, ajoutez-la par petites doses pour éviter les mauvaises surprises !

Agneau braisé
« 7 heures » à l'ail

Préparation : **30 minutes** • Cuisson : **7 heures** • Quantité : **4 portions**

30 ml (2 c. à soupe) d'huile d'olive

1 rôti d'épaule d'agneau
de 900 g (2 lb)

1 oignon émincé

10 gousses d'ail non pelées

500 ml (2 tasses) de mini-carottes

2 branches de céleri coupées
en morceaux

250 ml (1 tasse) de bouillon
de poulet

30 ml (2 c. à soupe)
de sauce Worcestershire

1 tige de thym

1 feuille de laurier

Sel et poivre au goût

1. Placer la grille au centre du four et le pré-chauffer à 120 °C (250 °F).

2. Dans une casserole allant au four ou dans une cocotte, chauffer l'huile à feu moyen-vif. Saisir l'agneau jusqu'à ce que chacune de ses faces soit dorée. Déposer dans une assiette.

3. Retirer l'excédent de gras de la casserole. Déposer l'oignon, les gousses d'ail, les carottes et le céleri dans la casserole. Cuire de 1 à 2 minutes à feu doux-moyen.

4. Remettre l'agneau dans la casserole puis ajouter le bouillon, la sauce Worcestershire et les fines herbes. Assaisonner puis porter à ébullition.

5. Couvrir et cuire au four 7 heures, jusqu'à ce que la chair de la viande se défasse à la fourchette.

À LA MIJOTEUSE
Suivre les étapes 2 et 3. Dans la casserole, verser 180 ml (¾ de tasse) de bouillon et porter à ébullition. Transférer la préparation dans la mijoteuse. Ajouter le reste des ingrédients. Couvrir et cuire à faible intensité de 8 à 10 heures.

J'aime avec...

Pommes de terre rôties au romarin

Couper en cubes de 4 à 6 pommes de terre. Mélanger avec 1 oignon coupé en cubes, 30 ml (2 c. à soupe) d'huile d'olive et 5 ml (1 c. à thé) de romarin frais haché. Saler et poivrer. Répartir sur une plaque de cuisson tapissée d'une feuille de papier parchemin. Cuire au four de 35 à 40 minutes à 180 °C (350 °F).

Casserole de bœuf braisé à la provençale

Préparation : **25 minutes** • Marinage : **8 heures** • Cuisson : **2 heures** • Quantité : **4 portions**

755 g (1 ⅔ lb) de cubes
de bœuf à ragoût

1 oignon émincé

15 ml (1 c. à soupe) d'ail haché

1 tige de thym

1 tige de romarin

1 feuille de laurier

375 ml (1 ½ tasse) de vin rosé
ou de vin blanc

30 ml (2 c. à soupe) d'huile d'olive

45 ml (3 c. à soupe) de farine

2 carottes coupées en rondelles

2 branches de céleri émincées

8 champignons coupés en deux

1 boîte de tomates en dés
de 540 ml

250 ml (1 tasse) de bouillon
de bœuf

12 à 16 olives noires

Sel et poivre au goût

1. Mélanger les cubes de bœuf avec l'oignon, l'ail, les fines herbes et le vin. Couvrir et laisser mariner de 8 à 12 heures au frais.

2. Bien égoutter le bœuf, en prenant soin de conserver la marinade et ses aromates (oignon, ail, fines herbes).

3. Dans une casserole à fond épais ou dans une cocotte, chauffer l'huile à feu moyen-vif. Faire dorer les cubes de viande, en procédant par petites quantités. Déposer les cubes dans une assiette.

4. Dans la casserole, ajouter l'oignon, l'ail et les fines herbes réservés. Cuire de 1 à 2 minutes. Ajouter la farine et remuer.

5. Remettre la viande dans la casserole, puis ajouter les derniers ingrédients. Verser la marinade et porter à ébullition.

6. Couvrir et laisser mijoter à feu doux de 2 heures à 2 heures 30 minutes, jusqu'à ce que la viande se défasse à la fourchette.

À LA MIJOTEUSE

Faire mariner la viande de 8 à 12 heures en suivant l'étape 1. Au moment de la cuisson, déposer les carottes, le céleri et les champignons dans la mijoteuse. Saisir la viande en suivant les étapes 2 et 3. Transférer les cubes de bœuf dans la mijoteuse. Dans la casserole, poursuivre la préparation en suivant l'étape 4. Verser 80 ml (⅓ de tasse) de bouillon de bœuf et porter à ébullition en raclant le fond de la casserole à l'aide d'une cuillère de bois. Transférer la préparation dans la mijoteuse. Ajouter la marinade réservée et le reste des ingrédients, à l'exception des olives. Couvrir et cuire à faible intensité de 8 à 10 heures, jusqu'à ce que la viande se défasse à la fourchette. Ajouter les olives et prolonger la cuisson de 20 minutes.

Le saviez-vous ?

La viande marinée est plus tendre !

Pourquoi mariner ? Parce qu'ainsi, la viande s'attendrit et devient succulente. Nous savons que la cuisson lente produit sensiblement les mêmes effets. La combinaison des deux nous permet d'accentuer le phénomène et d'obtenir un plat à la texture exquise. Faites-en l'essai !

Bœuf braisé aux carottes et panais

Préparation : **20 minutes** • Cuisson : **2 heures** • Quantité : **de 4 à 6 portions**

6 carottes

6 panais

15 ml (1 c. à soupe)
d'huile de canola

1 kg (2,2 lb) de pointe
d'épaule de bœuf

1 oignon, piqué
de 3 clous de girofle

2 gousses d'ail

1 tige de thym

1 feuille de laurier

1 litre (4 tasses)
de bouillon de bœuf

Sel et poivre au goût

À LA MIJOTEUSE
Suivre les étapes 2 à 4, en utilisant
500 ml (2 tasses) de bouillon et en
omettant le thym. Couvrir et cuire de 7 à
9 heures à faible intensité. Ajouter le thym
et poursuivre la cuisson 1 heure.

1. Préchauffer le four à 180 °C (350 °F).

2. Couper les carottes et les panais en rondelles assez épaisses.

3. Dans une poêle, chauffer l'huile à feu
moyen. Faire dorer le morceau de viande
sur tous les côtés.

4. Dans une cocotte, déposer le quart des
carottes et des panais. Déposer la viande sur
les légumes. Ajouter l'oignon piqué de clous
de girofle, l'ail et les fines herbes. Couvrir
avec le reste des carottes et des panais.
Verser le bouillon de bœuf et assaisonner.

5. Couvrir et cuire au four de 2 à 3 heures.

Rôti de veau braisé à l'italienne

Préparation : **35 minutes** • Cuisson : **2 heures 15 minutes** • Quantité : **4 portions**

1 oignon

1 poivron orange

2 carottes

2 branches de céleri

3 tomates

30 ml (2 c. à soupe)
d'huile d'olive

1 rôti de palette
de veau avec os
de 1,25 kg (2 ¾ lb)

4 gousses d'ail
non pelées

30 ml (2 c. à soupe)
de vinaigre balsamique

250 ml (1 tasse)
de bouillon de poulet

250 ml (1 tasse)
de vin blanc

1 feuille de laurier

5 ml (1 c. à thé)
de romarin frais haché

Sel et poivre au goût

16 olives vertes
dénoyautées

1. Préchauffer le four à 180 °C (350 °F).

2. Couper en dés l'oignon, le poivron,
les carottes, le céleri et les tomates.

3. Dans une cocotte, chauffer l'huile à feu
moyen-vif. Faire dorer le rôti de palette
1 minute de chaque côté. Déposer dans
une assiette.

4. Ajouter les légumes et l'ail dans la cocotte.
Cuire de 1 à 2 minutes.

5. Ajouter le vinaigre, le bouillon, le vin,
les fines herbes et l'assaisonnement. Porter
à ébullition.

6. Couvrir et cuire au four 2 heures,
jusqu'à ce que la chair de la viande
se défasse à la fourchette.

7. Ajouter les olives et prolonger la cuisson
de 15 minutes.

 À LA MIJOTEUSE

Suivre l'étape 2 et déposer les légumes dans la
mijoteuse. Suivre l'étape 3. Transférer le rôti
dans la mijoteuse. Dans la cocotte, verser le vinaigre,
125 ml (½ tasse) de bouillon et 125 ml (½ tasse) de vin.
Porter à ébullition et verser dans la mijoteuse. Ajouter
les fines herbes et l'assaisonnement. Couvrir et cuire à
faible intensité de 6 à 8 heures. Ajouter les olives et prolonger la cuisson de 10 minutes à haute intensité.

Porc braisé sauce barbecue

Préparation : 20 minutes • **Marinage : 12 heures**
Cuisson : 3 heures • **Quantité : de 4 à 6 portions**

1 rôti d'épaule de porc picnic de 1,5 kg (3 ⅔ lb)
....
180 ml (¾ de tasse) de bouillon de bœuf
....
45 ml (3 c. à soupe) de sirop d'érable
....

POUR LA MARINADE SÈCHE :

45 ml (3 c. à soupe) de cassonade
....
15 ml (1 c. à soupe) de poudre d'oignons
....
15 ml (1 c. à soupe) de paprika
....
5 ml (1 c. à thé) de moutarde sèche
....
5 ml (1 c. à thé) de poudre d'ail
....

2,5 ml (½ c. à thé) de piment de Cayenne
....
2,5 ml (½ c. à thé) de sel
....

POUR LA SAUCE BARBECUE :

1 boîte de tomates en dés de 540 ml
....
80 ml (⅓ de tasse) de ketchup
....
80 ml (⅓ de tasse) de sauce chili
....
45 ml (3 c. à soupe) de vinaigre de vin rouge
....
45 ml (3 c. à soupe) de cassonade
....
15 ml (1 c. à soupe) de moutarde sèche
....

1. Retirer l'excédent de gras de l'épaule de porc. Mélanger les ingrédients de la marinade puis frotter l'épaule avec la marinade sèche. Couvrir et laisser mariner 12 heures au frais.

2. Au moment de la cuisson, préchauffer le four à 150 °C (300 °F).

3. Déposer l'épaule dans une cocotte. Verser le bouillon et le sirop. Couvrir et cuire au four de 3 heures à 3 heures 30 minutes. Retirer la viande de la casserole et déposer sur une planche à découper. Laisser tiédir.

4. Dans une casserole, porter à ébullition les ingrédients de la sauce et laisser mijoter à feu doux-moyen de 15 à 20 minutes.

5. Pendant ce temps, effilocher la viande à l'aide de deux fourchettes. Déposer la viande dans la cocotte et mélanger avec la sauce.

 À LA MIJOTEUSE
Suivre l'étape 1. Déposer l'épaule dans la mijoteuse avec le bouillon et le sirop. Couvrir et cuire à faible intensité de 8 à 10 heures. Une fois la viande cuite, poursuivre avec les étapes 4 et 5.

Hauts de cuisses braisés teriyaki

Préparation : **20 minutes** • Cuisson : **30 minutes** • Quantité : **4 portions**

8 hauts de cuisses
désossés, sans peau

1 oignon émincé

**POUR LA SAUCE
TERIYAKI :**

125 ml (½ tasse)
de sauce soya légère

80 ml (⅓ de tasse)
de sauce hoisin

45 ml (3 c. à soupe)
de mirin

30 ml (2 c. à soupe)
d'huile de sésame
(non grillé)

30 ml (2 c. à soupe)
de miel

15 ml (1 c. à soupe)
de gingembre haché

10 ml (2 c. à thé)
d'ail haché

1. Préchauffer le four à 205 °C (400 °F).

2. Dans un bol, mélanger les ingrédients
de la sauce teriyaki.

3. Dans un plat allant au four, déposer les
hauts de cuisses et l'oignon. Verser la sauce
teriyaki et remuer pour bien enrober le poulet
de sauce.

4. Cuire au four de 30 à 35 minutes, en retournant la viande à mi-cuisson, jusqu'à ce qu'elle
se défasse à la fourchette et que le dessus soit
légèrement caramélisé.

À LA MIJOTEUSE
Suivre l'étape 2. Déposer les hauts de cuisses
et l'oignon dans la mijoteuse. Verser la sauce
sur le poulet. Couvrir et cuire à faible intensité de
4 à 6 heures.

Pilons de poulet braisés pommes et érable

Préparation : **25 minutes** • Cuisson : **40 minutes** • Quantité : **de 4 à 6 portions**

30 ml (2 c. à soupe)
d'huile de canola

8 à 12 pilons de poulet,
sans peau

1 oignon haché

2 poivrons rouges
coupés en dés

30 ml (2 c. à soupe)
de farine

375 ml (1 ½ tasse)
de jus de pomme

375 ml (1 ½ tasse)
de bouillon de poulet

45 ml (3 c. à soupe)
de sirop d'érable

Sel et poivre au goût

1. Préchauffer le four à 180 °C (350 °F).

2. Dans une cocotte, chauffer l'huile à feu moyen. Faire dorer le poulet de 2 à 3 minutes.

3. Ajouter l'oignon et les poivrons. Cuire de 1 à 2 minutes.

4. Saupoudrer de farine et remuer. Incorporer le reste des ingrédients et chauffer jusqu'aux premiers frémissements.

5. Couvrir et cuire au four de 40 à 45 minutes, jusqu'à ce que l'intérieur de la chair du poulet ait perdu sa teinte rosée.

 À LA MIJOTEUSE

Suivre les étapes 2 et 3. Transférer dans la mijoteuse. Saupoudrer de farine et remuer. Ajouter 180 ml (¾ de tasse) de jus de pomme, le sirop d'érable et 180 ml (¾ de tasse) de bouillon. Couvrir et cuire de 4 à 5 heures à faible intensité.

Poitrines de poulet braisées au citron et à la sauge

Préparation : **30 minutes** • Cuisson : **25 minutes** • Quantité : **4 portions**

30 ml (2 c. à soupe) d'huile d'olive

4 poitrines de poulet, sans peau

1 oignon émincé

10 ml (2 c. à thé) d'ail haché

30 ml (2 c. à soupe) de farine

125 ml (½ tasse) de vin blanc

375 ml (1 ½ tasse) de bouillon de poulet

60 ml (¼ de tasse) de jus de citron

15 ml (1 c. à soupe) de zestes de citron

Sel et poivre au goût

30 ml (2 c. à soupe) de ciboulette fraîche hachée

15 ml (1 c. à soupe) de sauge fraîche émincée

125 ml (½ tasse) de mascarpone

1. Dans une cocotte, chauffer l'huile à feu moyen-vif. Faire dorer les poitrines de 2 à 3 minutes de chaque côté. Déposer dans une assiette.

2. Éponger l'excédent de gras à l'aide de papier absorbant. Dans la cocotte, faire revenir l'oignon et l'ail de 1 à 2 minutes. Saupoudrer de farine et remuer.

3. Verser le vin blanc et le bouillon. Remuer. Ajouter le jus et les zestes de citron. Assaisonner. Porter à ébullition.

4. Remettre les poitrines dans la cocotte et ajouter les fines herbes. Couvrir et laisser mijoter à feu doux 20 minutes.

5. Incorporer le mascarpone et prolonger la cuisson de 5 à 6 minutes.

 À LA MIJOTEUSE

Suivre l'étape 1, puis déposer les poitrines dans la mijoteuse. Suivre l'étape 2, puis verser dans la cocotte 60 ml (¼ de tasse) de vin et 180 ml (¾ de tasse) de bouillon. Porter à ébullition. Transférer dans la mijoteuse avec 30 ml (2 c. à soupe) de jus de citron et le reste des ingrédients, à l'exception du mascarpone. Couvrir et cuire à faible intensité de 6 à 8 heures. Ajouter le mascarpone et prolonger la cuisson de 10 minutes à haute intensité.

Divins tajines

Mets typiques de la cuisine du Maghreb, les tajines présentent une belle polyvalence : on peut les réinterpréter à volonté ! Que de belles occasions pour marier des saveurs ensoleillées… En matière de plats mijotés, les tajines s'inscrivent dans la tendance de l'heure. Voici une invitation à découvrir des saveurs inédites, au goût d'exotisme. Faites vos réserves de couscous !

Agneau aux tomates cerises, olives, figues et noix de cajou

Préparation : **45 minutes** • Marinage : **4 heures**
Cuisson : **40 minutes** • Quantité : **de 4 à 6 portions**

POUR LA MARINADE
DE RAISINS ET FIGUES :

30 ml (2 c. à soupe) d'eau
de fleur d'oranger
....
45 ml (3 c. à soupe) de miel
....
30 ml (2 c. à soupe) d'huile d'olive
....
45 ml (3 c. à soupe) de raisins
de Corinthe
....
6 figues séchées, coupées
en morceaux
....

POUR LE TAJINE D'AGNEAU :

30 ml (2 c. à soupe) d'huile d'olive
....
2 oignons rouges émincés
....
500 g (environ 1 lb) d'épaule
d'agneau, coupée en cubes
....
200 g de tomates cerises,
coupées en deux
....
2 pincées de piment de Cayenne
....
24 olives farcies aux amandes
et piments rouges
....
1 pincée de cannelle
....

POUR LA GARNITURE :

15 ml (1 c. à soupe) d'amandes
effilées grillées
....
30 ml (2 c. à soupe) de noix
de cajou
....

POUR LE COUSCOUS :

250 ml (1 tasse) d'eau
....
15 ml (1 c. à soupe) de beurre
....
250 ml (1 tasse) de couscous

1. Mélanger l'eau de fleur d'oranger avec le miel et l'huile d'olive. Ajouter les raisins et les figues. Laisser mariner 4 heures.

2. Dans une cocotte, chauffer l'huile d'olive à feu moyen. Faire revenir les oignons rouges. Ajouter les cubes d'agneau et bien faire dorer les morceaux.

3. Ajouter les tomates cerises et le piment de Cayenne. Couvrir et cuire 4 heures à feu doux.

4. Pour le couscous, chauffer l'eau avec le beurre puis retirer du feu. Incorporer le couscous et remuer régulièrement jusqu'à ce que les grains gonflent bien. Incorporer la marinade de raisins et figues. Réserver au chaud. Rectifier l'assaisonnement.

5. Une fois la cuisson du tajine terminée, ajouter les olives et une pincée de cannelle dans la cocotte.

6. Répartir le couscous dans les assiettes. Garnir du tajine d'agneau. Parsemer d'amandes effilées et de noix de cajou.

À LA MIJOTEUSE
Suivre l'étape 2. Transférer dans la mijoteuse. Ajouter les tomates cerises et le piment de Cayenne. Couvrir et cuire à faible intensité de 8 à 10 heures. Suivre l'étape 1. Une fois le tajine cuit, suivre les étapes 4 à 6.

Le saviez-vous ?
Le secret d'une viande tendre

Secret de chef : pour une viande tendre et fondante, l'agneau doit cuire lentement. Pour ce faire, on doit utiliser l'ustensile de cuisson approprié. Utilisez la classique cocotte en fonte ou encore le tajine, ce récipient au couvercle conique pour la cuisson au four.

Une recette de Pascal Cothet, chef cuisinier

Truite et barigoule de légumes

Préparation : **40 minutes** • Cuisson : **30 minutes** • Quantité : **de 4 à 6 portions**

POUR LA BARIGOULE DE LÉGUMES :

2 bulbes de fenouil
....
2 tomates
....
1 oignon moyen
....

POUR LE TAJINE DE TRUITE :

30 ml (2 c. à soupe) de coriandre
....
4 gousses d'ail
....
60 ml (¼ de tasse) d'huile d'olive
....
40 ml (8 c. à thé) de vin blanc
....
4 filets de truite, sans peau
....
8 olives farcies aux amandes et piments rouges
....
4 petites betteraves cuites et coupées en cubes
....
200 ml (environ ¾ de tasse) de crème à cuisson 35 %
....
200 ml (environ ¾ de tasse) de jus de tomate
....
Sel et poivre au goût
....

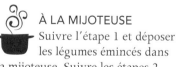

À LA MIJOTEUSE

Suivre l'étape 1 et déposer les légumes émincés dans la mijoteuse. Suivre les étapes 2 et 4. Mélanger 125 ml ($\frac{1}{2}$ tasse) de crème avec 125 ml ($\frac{1}{2}$ tasse) de jus de tomate et verser sur les filets. Couvrir et cuire à faible intensité de 3 à 4 heures.

1. Émincer les bulbes de fenouil, les tomates et l'oignon. Tapisser le fond du tajine ou d'un plat de cuisson avec les tranches de légumes.

2. Hacher la coriandre et l'ail. Déposer dans un bol. Ajouter l'huile d'olive et le vin blanc. Bien mélanger et réserver.

3. Préchauffer le four à 180 °C (350 °F).

4. Rouler les filets de truite et les maintenir roulés à l'aide d'un cure-dent. Déposer sur le lit de légumes. Ajouter les olives farcies et les betteraves. Verser la préparation à la coriandre sur les filets de truite.

5. Mélanger la crème avec le jus de tomate. Verser sur le tajine. Saler et poivrer au goût.

6. Couvrir et cuire au four environ 30 minutes.

7. Pour obtenir une sauce onctueuse, recueillir le jus de cuisson. Transférer dans une casserole et laisser réduire.

J'aime avec...

Couscous au persil

Dans une casserole, porter 300 ml (environ 1 $\frac{1}{4}$ tasse) d'eau à ébullition. Ajouter une pincée de sel et 250 ml (1 tasse) de couscous. Bien mélanger. Retirer du feu, couvrir et laisser reposer 5 minutes. Vérifier que tout le liquide a été absorbé en remuant à l'aide d'une fourchette. Incorporer 30 ml (2 c. à soupe) de persil frais haché, 30 ml (2 c. à soupe) d'huile d'olive et 10 ml (2 c. à thé) de jus de citron.

Dindon à la courge

Préparation : **25 minutes** • Cuisson : **30 minutes** • Quantité : **de 4 à 6 portions**

POUR LE TAJINE DE DINDON :

800 ml (600 g) de poitrine
de dindon (de Dindon Valcartier,
de préférence)
....
2 tomates
....
½ courge poivrée ou courge
Butternut (de la Ferme Estivale,
de préférence)
....
60 ml (¼ de tasse) d'huile d'olive
....
1 oignon émincé
....
2 gousses d'ail finement hachées
....
2,5 ml (½ c. à thé) de cumin
....
2,5 ml (½ c. à thé) de curcuma
....
5 ml (1 c. à thé) de pâte de harissa
....
5 ml (1 c. à thé) de paprika
....
15 ml (1 c. à soupe) de pâte
de tomates
....
2,5 ml (½ c. à thé) de sucre
....
80 ml (⅓ de tasse) de persil
plat haché
....
125 ml (½ tasse) de feuilles
de coriandre hachées
....
Sel et poivre au goût
....

POUR LE COUSCOUS :

500 ml (2 tasses) d'eau
ou de bouillon de légumes
....
500 ml (2 tasses) de couscous
....
2,5 ml (½ c. à thé)
de ras-el-hanout
(mélange d'épices)
....
Sel et poivre au goût
....
15 ml (1 c. à soupe) d'huile d'olive
....
375 ml (1 ½ tasse) d'olives farcies
aux amandes et piments rouges
....

1. Couper le dindon en cubes. Couper les tomates en deux sur la largeur et les presser afin de retirer les pépins. Hacher la chair des tomates. Peler la courge. Retirer les pépins et la couper en cubes d'environ 3 cm (1 ¼ po).

2. Dans une casserole, chauffer l'huile d'olive à feu moyen-élevé et faire dorer l'oignon. Incorporer l'ail, le cumin, le curcuma et la harissa. Cuire 1 minute en remuant.

3. Ajouter le dindon et faire dorer 5 minutes. Ajouter les cubes de courge et cuire 2 minutes.

4. Ajouter le paprika, les morceaux de tomate, la pâte de tomates, le sucre, environ 30 ml (2 c. à soupe) de persil et 45 ml (3 c. à soupe) de coriandre. Saler et poivrer. Couvrir et laisser mijoter 30 minutes à feu doux-moyen, jusqu'à ce que le dindon et la courge soient tendres.

5. Porter l'eau à ébullition. Dans un bol, déposer la semoule et le ras-el-hanout. Saler et poivrer. Verser l'eau bouillante sur la semoule. Remuer, couvrir et laisser reposer 3 minutes. Égrener la semoule à la fourchette. Couvrir et laisser reposer 3 minutes. Égrener à nouveau. Incorporer l'huile d'olive, environ 30 ml (2 c. à soupe) de persil et 45 ml (3 c. à soupe) de coriandre à la semoule.

6. Répartir le couscous dans les assiettes. Garnir du tajine de dindon et d'olives farcies. Parsemer du reste de persil et de coriandre.

À LA MIJOTEUSE

Suivre les étapes 1 à 3. Transférer la préparation dans la mijoteuse. Ajouter le reste des ingrédients, à l'exception des fines herbes. Couvrir et cuire à faible intensité pendant 5 heures. Suivre l'étape 5. Parsemer le tajine de persil et de coriandre.

J'aime aussi...

En version végétarienne

Envie de faire changement ? Substituez des légumineuses, comme des lentilles brunes ou des pois chiches, au dindon. Petit rappel : rincez bien les légumineuses avant de les utiliser !

Recette de Marie-Josée Gagné, chef cuisinière

Poulet aux dattes, olives et citron

Préparation : **20 minutes** • Marinage : **12 heures** • Cuisson : **1 heure** • Quantité : **4 portions**

8 pilons de poulet
(ou 4 cuisses), sans peau

POUR LA MARINADE :

2 citrons (biologiques,
de préférence)

60 ml (¼ de tasse)
d'huile d'olive

10 ml (2 c. à thé)
d'ail haché

10 ml (2 c. à thé)
de paprika

5 ml (1 c. à thé)
de curcuma

POUR LE TAJINE :

15 ml (1 c. à soupe)
d'huile de canola

2 oignons émincés

2 carottes émincées

250 ml (1 tasse) de
bouillon de poulet

30 ml (2 c. à soupe)
de pâte de tomates

3 tomates coupées
en dés

12 dattes dénoyautées

12 olives vertes

Sel et poivre au goût

1. Rincer les citrons et éponger. À l'aide d'un épluche-légumes, prélever l'écorce et presser le jus des citrons.

2. Mélanger tous les ingrédients de la marinade. Ajouter le poulet. Couvrir et laisser mariner 12 heures au frais.

3. Au moment de la cuisson, égoutter le poulet en prenant soin de récupérer la marinade.

4. Dans une grande casserole à fond épais, chauffer l'huile de canola à feu moyen. Faire dorer le poulet avec les oignons et les carottes.

5. Verser la marinade et ajouter le reste des ingrédients. Laisser mijoter 1 heure à décou-vert et à feu doux.

 **À LA MIJOTEUSE**
Suivre les étapes 1 à 4. Déposer tous les ingré-dients dans la mijoteuse. Couvrir et cuire à faible intensité 5 heures.

Poulet à la marocaine

Préparation : **35 minutes** • Cuisson : **35 minutes** • Quantité : **4 portions**

POUR LES ÉPICES :

5 ml (1 c. à thé)
de curcuma
....
5 ml (1 c. à thé)
de cumin
....
5 ml (1 c. à thé)
de coriandre
....

POUR LE TAJINE :

1 poulet de 1,6 kg
(3 ½ lb) coupé en
huit morceaux

30 ml (2 c. à soupe)
d'huile d'olive

1 oignon haché
....
15 ml (1 c. à soupe)
d'ail haché
....
15 ml (1 c. à soupe)
de gingembre haché
....

15 ml (1 c. à soupe)
de zestes de citron
....
30 ml (2 c. à soupe)
de farine
....
3 carottes coupées
en morceaux
....
2 branches de céleri
coupées en morceaux
....
1 poivron rouge coupé
en cubes
....
30 ml (2 c. à soupe)
de pâte de tomates
....
750 ml (3 tasses)
de bouillon de poulet
....
1 bâton de cannelle
....
Sel et poivre au goût
....

1. Préchauffer le four à 180 °C (350 °F).

2. Mélanger les épices ensemble. Ajouter les morceaux de poulet et remuer afin de bien les enrober d'épices.

3. Dans une cocotte allant au four, chauffer l'huile à feu moyen. Faire dorer les morceaux de poulet. Réserver dans une assiette.

4. Ajouter l'oignon, l'ail, le gingembre et les zestes. Chauffer de 1 à 2 minutes. Remettre les morceaux de poulet dans la cocotte.

5. Saupoudrer de farine et remuer. Ajouter les légumes, la pâte de tomates, le bouillon et le bâton de cannelle. Saler et poivrer. Porter à ébullition puis retirer du feu.

6. Couvrir et cuire au four de 35 à 40 minutes, jusqu'à ce que la chair du poulet se défasse facilement à la fourchette.

À LA MIJOTEUSE

Suivre les étapes 2 à 4. Déposer tous les ingrédients dans la mijoteuse en utilisant 375 ml (1 ½ tasse) de bouillon. Couvrir et cuire à faible intensité 5 heures.

Tajine de légumes et fruits séchés

Préparation : **25 minutes** • Cuisson : **40 minutes** • Quantité : **de 6 à 8 portions**

½ rutabaga moyen
(navet jaune)

1 courge musquée

30 à 40 mini-carottes

1 oignon haché

3 branches de céleri
coupées en morceaux

4 tomates coupées
en dés

15 ml (1 c. à soupe)
de gingembre haché

1 boîte de pois chiches
de 540 ml, rincés et
égouttés

15 ml (1 c. à soupe)
d'ail haché

5 ml (1 c. à thé) de cumin

6 à 8 pistils de safran

125 ml (½ tasse)
de raisins secs

20 abricots séchés

10 figues séchées

Sel et poivre au goût

625 ml (2 ½ tasses)
de bouillon de légumes

30 ml (2 c. à soupe) de
menthe fraîche hachée

1. Peler le rutabaga et la courge musquée puis les tailler en cubes.

2. Dans une casserole, déposer tous les ingrédients, à l'exception de la menthe.

3. Couvrir et cuire de 40 à 50 minutes à feu doux.

4. Au moment de servir, ajouter la menthe.

À LA MIJOTEUSE

Suivre l'étape 1. Déposer tous les ingrédients dans la mijoteuse, à l'exception de la menthe, en utilisant 500 ml (2 tasses) de bouillon. Couvrir et cuire de 5 à 6 heures à faible intensité ou de 2 heures 30 minutes à 3 heures à intensité élevée. Ajouter la menthe et prolonger la cuisson de 15 minutes à intensité élevée.

Agneau aux dattes et légumes

Préparation : **25 minutes** • Cuisson : **2 heures** • Quantité : **de 4 à 6 portions**

30 ml (2 c. à soupe) d'huile d'olive

1 kg (2,2 lb) de cubes d'agneau à ragoût ou de rôti de gigot coupé en cubes

Sel et poivre au goût

1 oignon haché

5 ml (1 c. à thé) de cumin

5 ml (1 c. à thé) de curcuma

5 ml (1 c. à thé) de graines de coriandre

6 pistils de safran

500 ml (2 tasses) de bouillon de poulet

10 ml (2 c. à thé) d'ail haché

4 tomates coupées en dés

6 cœurs d'artichauts coupés en deux

2 branches de céleri coupées en morceaux

2 poivrons rouges coupés en morceaux

1 citron (zeste et jus)

1 tige de thym

1 feuille de laurier

12 dattes dénoyautées

16 amandes entières

1. Dans une cocotte, chauffer l'huile à feu moyen. Faire dorer les cubes d'agneau. Déposer la viande dans une assiette. Saler et poivrer.

2. Dans la cocotte, faire dorer légèrement l'oignon. Ajouter les épices et cuire de 2 à 3 minutes.

3. Verser le bouillon et remettre les cubes d'agneau dans la cocotte. Ajouter le reste des ingrédients, à l'exception des dattes et des amandes.

4. Couvrir et cuire 1 heure 30 minutes à feu doux.

5. Ajouter les dattes et les amandes. Poursuivre la cuisson 30 minutes.

À LA MIJOTEUSE

Suivre les étapes 1 et 2. Déposer tous les ingrédients dans la mijoteuse, à l'exception des dattes et des amandes, en utilisant 250 ml (1 tasse) de bouillon. Couvrir et cuire à faible intensité de 6 à 8 heures. Ajouter les dattes et les amandes. Poursuivre la cuisson à haute intensité de 15 à 20 minutes.

Et si on brisait la routine ?

Cela fait 20 ans que vous cuisinez votre jambon à l'ananas au four ? C'est le temps de l'essayer à la mijoteuse ! Idem pour vos fèves au lard, sauce bolognaise, pain de viande et Cie. Allez, on sort de sa zone de confort et on remet notre confiance entre les mains expertes de la mijoteuse.

L'essayer, c'est l'adopter !

Sauce bolognaise aux trois viandes

Préparation : **25 minutes** • Cuisson : **50 minutes** • Quantité : **2 litres (8 tasses)**

1 oignon

1 carotte

2 branches de céleri

30 ml (2 c. à soupe) d'huile d'olive

80 ml (⅓ de tasse) de pancetta

15 ml (1 c. à soupe) d'ail haché

300 g (⅔ de lb) de veau haché

300 g (⅔ de lb) de porc haché

300 g (⅔ de lb) de bœuf haché

1 boîte de pâte de tomates de 156 ml

15 ml (1 c. à soupe) de farine

15 ml (1 c. à soupe) de sucre

4 tomates italiennes coupées en dés

1 boîte de tomates broyées de 796 ml

125 ml (½ tasse) de vin blanc sec

15 ml (1 c. à soupe) de thym frais haché

5 ml (1 c. à thé) de romarin frais haché

1 feuille de laurier

Sel et poivre au goût

1. Couper en dés l'oignon, la carotte et le céleri.

2. Dans une casserole à fond épais ou dans une cocotte, chauffer l'huile à feu moyen-vif. Faire dorer l'oignon et la pancetta de 1 à 2 minutes.

3. Ajouter l'ail, la carotte, le céleri et les viandes. Cuire de 4 à 5 minutes en remuant, jusqu'à ce que les viandes aient perdu leur teinte rosée.

4. Incorporer la pâte de tomates et la farine.

5. Ajouter le reste des ingrédients. Couvrir et laisser mijoter à feu doux de 50 à 60 minutes, en remuant à l'occasion.

 À LA MIJOTEUSE
Suivre les étapes 1 à 4. Transférer la préparation dans la mijoteuse. Ajouter le reste des ingrédients. Couvrir et cuire de 8 à 10 heures à faible intensité.

Le saviez-vous ?

La consistance de la sauce

La bolognaise, cette sauce italienne réconfortante, se transforme constamment au gré des goûts et des régions. Certains inconditionnels ne jureront que par la version originale, plus épaisse. À ceux-là, nous conseillons la cuisson sur la cuisinière ou au four à 180 °C (350 °F) plutôt qu'à la mijoteuse, car cette dernière donne une sauce plus liquide.

Risotto d'orge printanier au jambon

Préparation : **20 minutes** • Cuisson : **30 minutes** • Quantité : **de 4 à 6 portions**

30 ml (2 c. à soupe)
d'huile d'olive
....
2 oignons hachés
....
250 ml (1 tasse) de jambon
coupé en dés
....
10 champignons
shiitake émincés
....
750 ml (3 tasses) de bouillon
de poulet
....
60 ml (¼ de tasse)
de vin blanc
....
5 ml (1 c. à thé) de thym
frais haché
....
250 ml (1 tasse) d'orge perlé
....
Sel et poivre au goût
....
6 asperges coupées
en morceaux
....
125 ml (½ tasse)
de parmesan râpé
....

1. Dans une casserole, chauffer l'huile à feu moyen. Faire dorer les oignons avec le jambon et les champignons.

2. Ajouter le bouillon, le vin, le thym et l'orge. Assaisonner et remuer.

3. Couvrir et cuire 30 minutes, jusqu'à ce que l'orge soit tendre et ait absorbé le liquide.

4. Ajouter les asperges 5 minutes avant la fin de la cuisson.

5. Au moment de servir, incorporer le parmesan.

 À LA MIJOTEUSE
Suivre l'étape 1 et déposer dans la mijoteuse. Ajouter les asperges, 625 ml (2 ½ tasses) de bouillon, le vin, le thym et l'orge. Assaisonner et remuer. Couvrir et cuire de 4 à 6 heures à faible intensité, jusqu'à ce que l'orge soit tendre et ait absorbé le liquide. Au moment de servir, incorporer le parmesan.

Le saviez-vous ?
Un risotto à la mijoteuse

Fini les soucis et les multiples précautions ! La cuisson lente de la mijoteuse convient à merveille au risotto. À noter : l'orge remplace le riz dans cette variante nouveau genre. On aime sa valeur nutritive ! Préférez toutefois l'orge perlé à l'orge mondé pour cette recette, car il n'a pas tendance à coller et ne nécessite aucun trempage.

Côtes levées barbecue

Préparation : **15 minutes** • Cuisson : **1 heure 25 minutes** • Quantité : **4 portions**

2,5 kg (5 lb) de côtes levées de dos de porc

250 ml (1 tasse) de sauce chili

125 ml (½ tasse) de ketchup piquant et épicé

60 ml (¼ de tasse) de vinaigre de vin rouge

30 ml (2 c. à soupe) de cassonade

10 ml (2 c. à thé) d'ail haché

125 ml (½ tasse) de bouillon de poulet

Sel au goût

1. Dans une grande casserole, déposer les côtes levées et couvrir d'eau froide. Porter à ébullition. Cuire 1 heure à feu doux-moyen. Égoutter et rincer sous l'eau froide.

2. Préchauffer le four à 190 °C (375 °F).

3. Tailler la viande en morceaux de trois côtes.

4. Dans un grand bol, mélanger la sauce chili avec le ketchup, le vinaigre, la cassonade, l'ail, le bouillon et le sel.

5. Ajouter les côtes levées. Remuer afin de bien enrober la viande de sauce.

6. Déposer les côtes levées sur une ou deux plaques de cuisson tapissées d'une feuille de papier parchemin. Cuire au four de 25 à 30 minutes.

J'aime aussi...

Côtes levées à l'asiatique

Mélanger 250 ml (1 tasse) de jus d'orange avec 80 ml (⅓ de tasse) de ketchup, 80 ml (⅓ de tasse) de sauce chili, 60 ml (¼ de tasse) de sauce soya, 30 ml (2 c. à soupe) de miel, 15 ml (1 c. à soupe) de gingembre haché et 15 ml (1 c. à soupe) d'ail haché. Réserver la moitié de la sauce au frais. Ajouter 2 kg (environ 4 ⅓ lb) de côtes levées de dos dans le reste de la sauce et laisser mariner au frais de 6 à 12 heures. Déposer les côtes levées sur du papier d'aluminium et former des papillotes étanches. Cuire au four 1 heure 30 minutes à 180 °C (350 °F). Ouvrir les papillotes et badigeonner les côtes avec la sauce réservée. Cuire au four de 30 à 45 minutes, papillotes ouvertes, jusqu'à ce que les côtes soient dorées.
À la mijoteuse : cuire de 6 à 8 heures à faible intensité.
À la fin de la cuisson, verser la sauce réservée et poursuivre la cuisson de 15 à 20 minutes à intensité élevée.

 À LA MIJOTEUSE Dans une grande casserole, déposer les côtes levées et couvrir d'eau froide. Porter à ébullition. Égoutter et rincer sous l'eau froide. Suivre les étapes 3, 4 et 5. Déposer la préparation dans la mijoteuse. Couvrir et cuire de 8 à 10 heures à faible intensité.

Paëlla

Préparation : **25 minutes** • Cuisson : **35 minutes** • Quantité : **de 4 à 6 portions**

5 à 6 pistils de safran

750 ml (3 tasses) de bouillon de poulet

30 ml (2 c. à soupe) d'huile d'olive

12 pilons de poulet, sans peau

1 oignon haché

1 poivron rouge coupé en cubes

1 poivron jaune coupé en cubes

3 tomates coupées en cubes

15 ml (1 c. à soupe) d'ail haché

375 ml (1 ½ tasse) de riz étuvé à grains longs

Sel et poivre au goût

2 petits chorizos

5 ml (1 c. à thé) de thym frais haché

1 feuille de laurier

250 ml (1 tasse) de pois verts

1 sac de mélange de fruits de mer surgelés de 400 g, décongelés

1. Déposer le safran dans le bouillon de poulet. Laisser infuser 5 minutes.

2. Dans une grande poêle, chauffer l'huile à feu moyen. Faire dorer les pilons de poulet avec l'oignon.

3. Ajouter les poivrons, les tomates, l'ail et le riz. Assaisonner et remuer.

4. Verser le bouillon et ajouter le reste des ingrédients.

5. Cuire à feu doux-moyen de 35 à 40 minutes.

 À LA MIJOTEUSE
Dans une poêle, chauffer l'huile à feu moyen. Faire dorer les pilons de poulet avec l'oignon. Au fond de la mijoteuse, répartir les poivrons, les tomates, l'ail et le riz. Remuer. Ajouter le poulet, le safran, les chorizos, les fines herbes et 500 ml (2 tasses) de bouillon. Couvrir et cuire de 3 à 4 heures à faible intensité. Incorporer les pois verts et les fruits de mer. Couvrir et poursuivre la cuisson 30 minutes à intensité élevée.

Le saviez-vous ?

La paëlla à la mijoteuse, c'est extra !

Vous en mettrez plein la vue avec ce mets espagnol coloré et délicieux. Voici toutefois quelques astuces pour bien le réussir :

• **Le riz :** n'oubliez pas de choisir un riz étuvé à grains longs ou faites cuire une autre sorte de riz sur la cuisinière, puis intégrez-le dans la dernière demi-heure de cuisson. Gardez aussi en tête cette règle d'or : il faut ajouter 60 ml (¼ de tasse) de liquide de plus pour chaque 60 ml (¼ de tasse) de riz.

• **Les fruits de mer :** incorporez ces ingrédients délicats seulement en fin de cuisson et ajustez la mijoteuse à température élevée. Quant aux fruits de mer surgelés, il est impératif de les laisser dégeler au réfrigérateur puis de les rincer brièvement à l'eau froide, sans quoi ils feront chuter la température de la mijoteuse, augmentant ainsi le risque de prolifération des bactéries.

Jambon à l'ananas

Préparation : **15 minutes** • Cuisson : **2 heures** • Quantité : **de 6 à 8 portions**

1 litre (4 tasses) de jus d'ananas
....
60 ml (¼ de tasse)
de cassonade
....
15 ml (1 c. à soupe)
de moutarde sèche
....
6 clous de girofle
....
5 ml (1 c. à thé) de poivre
en grains
....
1 jambon d'épaule picnic
avec os de 2 kg (4,4 lb)
....
1 boîte d'ananas en tranches
de 398 ml, avec le jus
....
1 bâton de cannelle
....

1. Préchauffer le four à 160 °C (325 °F).

2. Dans une grande casserole, porter à ébullition le jus d'ananas avec la cassonade, la moutarde, les clous de girofle et le poivre. Laisser mijoter 5 minutes.

3. À l'aide d'un couteau, retirer la couenne et une partie du gras sur le jambon. Pratiquer des entailles à la surface du gras en formant un quadrillé. Déposer le jambon dans une cocotte ou dans un grand plat de cuisson.

4. Ajouter les tranches d'ananas, la cannelle et la sauce à l'ananas.

5. Couvrir et cuire au four de 2 à 3 heures, en arrosant régulièrement le jambon en cours de cuisson.

À LA MIJOTEUSE

Déposer le jambon dans la mijoteuse. Répartir les tranches d'ananas sur le pourtour du jambon et verser le jus contenu dans la boîte. Dans un bol, mélanger les autres ingrédients en utilisant 250 ml (1 tasse) de jus d'ananas. Transférer la préparation dans la mijoteuse. Couvrir et cuire à faible intensité de 8 à 9 heures.

J'aime parce que...
Le jambon devient si tendre !

La mijoteuse n'a pas son pareil pour attendrir les viandes ! Certaines découpes se révèlent particulièrement délicieuses avec ce mode de cuisson. Ici, l'épaule avec os constitue une belle pièce à essayer. En effet, sa chair généreuse est idéale pour mijoter dans les liquides parfumés. Elle y acquiert une savoureuse texture fondante. De plus, l'os transforme le jus de cuisson en une sauce onctueuse. Un délice !

Ailes de poulet piquantes au chipotle

Préparation : **20 minutes** • Cuisson : **30 minutes** • Quantité : **de 4 à 6 portions**

900 g (2 lb) d'ailes
de poulet

POUR LA SAUCE :

1 boîte de tomates
en dés de 540 ml

250 ml (1 tasse) de
bouillon de poulet

250 ml (1 tasse)
de sauce chili

30 ml (2 c. à soupe) de
sauce adobo (sauce
de conservation
des piments chipotle)

30 ml (2 c. à soupe)
de cassonade

15 ml (1 c. à soupe)
de graines de coriandre

10 ml (2 c. à thé)
d'ail haché

1 ou 2 piments chipotle
en conserve, épépinés
et hachés finement

1 oignon haché

Sel au goût

1. Préchauffer le four à 190 °C (375 °F).

2. Dans un grand bol, mélanger ensemble
les ingrédients de la sauce. Ajouter les ailes
et remuer.

3. Déposer les ailes côte à côte sur une plaque
de cuisson tapissée d'une feuille de papier
parchemin. Cuire au four de 30 à 40 minutes,
jusqu'à ce que la peau soit croustillante et
que la chair se détache de l'os.

 À LA MIJOTEUSE

Suivre l'étape 2 en utilisant la
moitié de la boîte de tomates en
dés et 125 ml ($\frac{1}{2}$ tasse) de bouillon. Déposer
les ailes de poulet dans la mijoteuse avec
la sauce. Couvrir et cuire à faible intensité
de 5 à 6 heures.

Cigares au chou

Préparation : 20 minutes • Cuisson : 1 heure 30 minutes • Quantité : de 4 à 6 portions

10 feuilles de chou
de Savoie (chou frisé)
....
680 g (1 ½ lb) de bœuf
haché mi-maigre
....
250 ml (1 tasse) de riz cuit
....
1 œuf battu
....
1 oignon haché
....
45 ml (3 c. à soupe)
de persil frais haché
....

10 ml (2 c. à thé)
d'ail haché
....
Sel et poivre au goût
....
500 ml (2 tasses)
de sauce tomate
....
250 ml (1 tasse)
de bouillon de poulet
....

1. Préchauffer le four à 180 °C (350 °F).

2. Dans une casserole d'eau bouillante salée, cuire les feuilles de chou 5 minutes. Refroidir sous l'eau très froide et égoutter.

3. Dans un bol, mélanger le bœuf haché avec le riz, l'œuf, l'oignon, le persil, l'ail et l'assaisonnement.

4. Sur le plan de travail, déposer cinq feuilles de chou. Au centre de chaque feuille, déposer 60 ml (¼ de tasse) de farce. Rabattre les côtés des feuilles sur la viande. Rouler en serrant bien. Répéter l'opération pour le reste du chou et de la farce.

5. Dans un bol, mélanger la sauce tomate avec le bouillon. Verser la moitié de cette préparation dans un plat de cuisson. Ajouter les cigares au chou et verser le reste de la sauce.

6. Couvrir d'une feuille de papier d'aluminium et cuire au four 1 heure 30 minutes.

À LA MIJOTEUSE
Suivre les étapes 2 à 4. Dans un bol, mélanger la sauce tomate avec 125 ml (½ tasse) de bouillon. Verser la moitié de cette préparation dans la mijoteuse. Ajouter les cigares au chou. Verser le reste de la sauce. Couvrir et cuire de 8 à 10 heures à faible intensité ou de 4 à 5 heures à intensité élevée.

Pain de viande savoureux

Préparation : **15 minutes** • Cuisson : **60 minutes** • Quantité : **de 4 à 6 portions**

POUR LE PAIN DE VIANDE :

680 g (1 ½ lb) de bœuf haché maigre
....
250 ml (1 tasse) de mélange de légumes frais pour sauce à spaghetti (de type Saladexpress)
....
1 œuf
....
1 fromage de chèvre (de type Chevrai) de 113 g
....
60 ml (¼ de tasse) de chapelure nature
....
60 ml (¼ de tasse) de canneberges séchées
....
15 ml (1 c. à soupe) de persil frais haché
....

2,5 ml (½ c. à thé) de thym frais haché
....
2,5 ml (½ c. à thé) d'ail haché
....
Sel et poivre au goût
....

POUR LA SAUCE :

125 ml (½ tasse) de ketchup
....
60 ml (¼ de tasse) de moutarde de Dijon
....
60 ml (¼ de tasse) de cassonade
....

1. Préchauffer le four à 180 °C (350 °F).

2. Mélanger ensemble les ingrédients du pain de viande.

3. Tapisser un moule à pain de 25 cm x 13 cm (10 po x 5 po) d'une feuille de papier d'aluminium. Étendre uniformément le mélange dans le moule.

4. Cuire au four 45 minutes.

5. Dans une casserole, porter à ébullition les ingrédients de la sauce.

6. Verser la sauce sur le pain de viande et poursuivre la cuisson 15 minutes.

 À LA MIJOTEUSE

Suivre l'étape 2. Tapisser le fond de la mijoteuse avec du papier d'aluminium. Étaler le mélange de viande dans la mijoteuse. Rabattre les extrémités du papier sur la viande. Couvrir et cuire de 5 heures 30 minutes à 7 heures 30 minutes à faible intensité. Suivre l'étape 5. Verser sur la viande. Poursuivre la cuisson 30 minutes à faible intensité.

Fèves au lard

Préparation : **15 minutes** • Trempage : **12 heures** • Cuisson : **3 heures** • Quantité : **de 6 à 8 portions**

500 ml (2 tasses) de fèves
blanches sèches
....

250 g (½ lb) de lard salé
....

125 ml (½ tasse) de sirop
d'érable
....

75 ml (5 c. à soupe)
de mélasse
....

1 oignon piqué de
3 clous de girofle
....

1 carotte entière
....

1 litre (4 tasses)
de bouillon de poulet
....

Sel et poivre au goût
....

1. Faire tremper les fèves dans l'eau froide
environ 12 heures.

2. Rincer et égoutter les fèves. Dans une
casserole d'eau bouillante salée, cuire 1 heure
à feu moyen. Jeter l'eau de cuisson.

3. Préchauffer le four à 180 °C (350 °F).

4. Remettre les fèves dans la casserole. Ajouter
le lard, le sirop d'érable, la mélasse, l'oignon
piqué de clous de girofle, la carotte et le
bouillon de poulet. Saler et poivrer.

5. Couvrir et cuire au four de 2 heures à
2 heures 30 minutes, jusqu'à ce que les fèves
soient tendres.

À LA MIJOTEUSE

Suivre les étapes 1 et 2. Dans la mijoteuse,
déposer tous les ingrédients en utilisant
500 ml (2 tasses) de bouillon de poulet. Couvrir et
cuire de 6 à 8 heures à faible intensité.

Délices mijotés... sucrés !

Décadents et succulents,
les desserts de cette section sont
aussi épatants : ils sortent tout
droit du ventre de la mijoteuse !
Si vous pensiez avoir tout fait
avec ce merveilleux outil, attendez
de voir... C'est en cuisinant
l'un de ces desserts gourmands
que vous réaliserez la magie et le
potentiel illimité de la mijoteuse.
Les sceptiques seront confondus !

Brownies aux amandes et fudge chaud

Préparation : **20 minutes** • Cuisson : **35 minutes** • Quantité : **de 4 à 6 portions**

250 ml (1 tasse) de farine
....
10 ml (2 c. à thé) de poudre à pâte
....
180 ml (¾ de tasse) de sucre
....
80 ml (⅓ de tasse) de cacao
....
125 ml (½ tasse) de lait
....
30 ml (2 c. à soupe) de beurre fondu
....
2 à 3 gouttes d'essence de vanille
....
125 ml (½ tasse) d'amandes effilées
....
180 ml (¾ de tasse) de cassonade
....
375 ml (1 ½ tasse) d'eau bouillante
....

À LA MIJOTEUSE

Suivre les étapes 2 à 4. Beurrer l'intérieur de la mijoteuse et verser la pâte. À l'aide d'une cuillère en bois, égaliser la surface. Suivre l'étape 6 puis verser la préparation dans la mijoteuse. Couvrir et cuire 2 heures à intensité élevée.

1. Préchauffer le four à 180 °C (350 °F).

2. Dans un bol, mélanger la farine avec la poudre à pâte, le sucre et 45 ml (3 c. à soupe) de cacao.

3. Dans un deuxième bol, fouetter le lait avec le beurre fondu et la vanille. Incorporer les ingrédients secs à la préparation liquide, en remuant entre chaque addition.

4. Ajouter les amandes et remuer.

5. Beurrer un plat de cuisson carré de 20 cm (8 po) et y verser la pâte. À l'aide d'une cuillère en bois, égaliser la surface.

6. Dans un bol, mélanger le reste du cacao avec la cassonade. Verser l'eau bouillante et remuer. Verser cette préparation dans le plat de cuisson.

7. Cuire au four de 35 à 40 minutes, jusqu'à ce qu'un cure-dent inséré au centre du gâteau en ressorte propre.

J'aime parce que...
Ce classique est un pur délice !

Le brownie, bien que pâtisserie exquise, présente souvent une texture plutôt sèche. Or, il n'en est rien avec cette version à la mijoteuse qui nous charme par son côté moelleux à souhait ! Qui plus est, la longue cuisson permet la formation d'un fudge décadent à la base du gâteau, que l'on prendra plaisir à déguster à la petite cuillère… pour faire durer le plaisir !

Pain perdu aux raisins

Préparation : **25 minutes** • Temps de repos : **10 minutes**
Cuisson : **35 minutes** • Quantité : **de 4 à 6 portions**

1 baguette de pain rassis
(de la veille)
....
625 ml (2 ½ tasses) de lait
....
3 œufs battus
....
30 ml (2 c. à soupe) de rhum
....
250 ml (1 tasse) de cassonade
....
2 à 3 gouttes d'essence de vanille
....
30 ml (2 c. à soupe)
de beurre fondu
....
125 ml (½ tasse) de raisins secs
....

 À LA MIJOTEUSE
Suivre l'étape 1. Beurrer l'intérieur de la mijoteuse. Répartir les cubes de pain au fond de la mijoteuse. Mélanger 625 ml (2 ½ tasses) de lait avec 3 œufs battus, 30 ml (2 c. à soupe) de rhum, 250 ml (1 tasse) de cassonade, 2 à 3 gouttes d'essence de vanille et 30 ml (2 c. à soupe) de beurre fondu. Verser sur le pain et parsemer de raisins. À l'aide d'un pilon à pommes de terre, presser légèrement la préparation. Laisser reposer de 10 à 15 minutes afin que le pain soit bien imbibé. Couvrir et cuire de 3 à 4 heures à intensité élevée.

1. Couper le pain en cubes.

2. Beurrer un plat de cuisson carré de 20 cm (8 po).

3. Dans un bol, fouetter le lait avec les œufs, le rhum, la cassonade, la vanille et le beurre fondu. Ajouter le pain et les raisins.

4. Verser la préparation dans le plat. À l'aide d'un pilon à pommes de terre, presser légèrement la préparation. Laisser reposer de 10 à 15 minutes afin que le pain soit bien imbibé.

5. Préchauffer le four à 190 °C (375 °F).

6. Cuire au four de 35 à 40 minutes. Servir avec du sirop d'érable, si désiré.

Le saviez-vous ?

D'où vient le nom « pain perdu » ?

Surtout connu sous le nom de « pain doré » au Québec, ce mets dont on raffole tant à l'heure du brunch aurait des origines modestes. L'une des hypothèses les plus répandues veut qu'il servait à accommoder les restes de pain rassis, constituant ainsi un repas courant pour les moins bien nantis au Moyen Âge. D'autres affirment que les chevaliers peu fortunés le servaient en guise de dessert aux nobles, d'où l'une de ses appellations en anglais, *Poor Knights of Windsor*. Quoi qu'il en soit, ce mets nous réjouit !

Croustade aux petits fruits

Préparation : **20 minutes** • Cuisson : **35 minutes** • Quantité : **de 4 à 6 portions**

500 ml (2 tasses) de fraises coupées en quatre

250 ml (1 tasse) de bleuets

500 ml (2 tasses) de framboises

250 ml (1 tasse) de sucre

45 ml (3 c. à soupe) de fécule de maïs

30 ml (2 c. à soupe) de jus de citron

250 ml (1 tasse) de farine

160 ml (⅔ de tasse) de cassonade

80 ml (⅓ de tasse) de flocons d'avoine

60 ml (¼ de tasse) d'amandes tranchées

125 ml (½ tasse) de beurre coupé en dés

1. Préchauffer le four à 180 °C (350 °F).

2. Dans un plat de cuisson carré de 20 cm (8 po), mélanger les fruits avec le sucre, la fécule de maïs et le jus de citron.

3. Dans un bol, mélanger la farine avec la cassonade, les flocons d'avoine, les amandes et le beurre, jusqu'à l'obtention d'une consistance granuleuse. Étaler cette préparation sur les fruits.

4. Cuire au four de 35 à 40 minutes.

 À LA MIJOTEUSE
Dans la mijoteuse, mélanger les fruits avec le sucre, la fécule de maïs et le jus de citron. Suivre l'étape 3. Couvrir et cuire de 6 à 8 heures à faible intensité ou de 3 à 4 heures à intensité élevée.

Le saviez-vous ?

Un dessert mijoté, vraiment ?

Avez-vous déjà pensé à troquer le four contre la mijoteuse pour la confection de vos gâteries sucrées ? Pour un succès garanti, privilégiez les desserts qui s'accommodent bien de la cuisson humide (tapioca, gâteau moelleux, compote, pouding, etc.). Comme les desserts sont habituellement cuits au four à chaleur élevée, il faut penser que, dans le cas de la cuisson à la mijoteuse, la consistance sera un peu plus liquide en raison de la cuisson lente. Un changement qui en vaut toutefois la peine, puisqu'on craque littéralement pour cette texture onctueuse qui fond dans la bouche !

Fruits d'automne mijotés à l'érable

Préparation : **15 minutes** • Cuisson : **35 minutes** • Quantité : **de 4 à 6 portions**

4 poires

2 pêches

4 pommes Cortland

15 ml (1 c. à soupe)
de jus de citron

250 ml (1 tasse) de sirop
d'érable

125 ml (½ tasse)
de cidre ou de jus
de pomme

2 à 3 gouttes d'essence
de vanille

250 ml (1 tasse) de
canneberges séchées

1. Peler et couper les fruits en petits
quartiers.

2. Dans une casserole, mélanger les fruits
avec le jus de citron, le sirop d'érable,
le cidre et la vanille.

3. Cuire 30 minutes à feu doux-moyen.

4. Incorporer les canneberges. Poursuivre
la cuisson 5 minutes.

À déguster chaud ou froid, tel quel
ou sur de la crème glacée.

**À LA
MIJOTEUSE**

Suivre l'étape 1.
Répartir les fruits au fond
de la mijoteuse. Verser le
jus de citron et remuer.
Ajouter le sirop d'érable,
le cidre et la vanille.
Cuire de 6 à 8 heures
à faible intensité ou de
3 à 4 heures à intensité
élevée. Incorporer les
canneberges et poursuivre
la cuisson de 15 à 30 mi-
nutes à intensité élevée.

Céréales chaudes

Préparation : **5 minutes** • Cuisson : **40 minutes** • Quantité : **de 6 à 8 portions**

60 ml (¼ de tasse) de millet

60 ml (¼ de tasse) de quinoa

60 ml (¼ de tasse) de grains de sarrasin blanc

60 ml (¼ de tasse) de dattes séchées coupées en deux

60 ml (¼ de tasse) d'abricots séchés coupés en deux

1 pincée de sel

1 à 2 pincées de cannelle

750 ml (3 tasses) de boisson de soya nature ou à la vanille

2 à 3 gouttes d'essence de vanille

1. Préchauffer le four à 190 °C (375 °F).

2. Dans un bol, mélanger les ingrédients secs.

3. Incorporer la boisson de soya et la vanille.

4. Transférer la préparation dans un plat de cuisson carré de 20 cm (8 po). Cuire au four de 40 à 45 minutes.

Servir chaud avec du yogourt nature, des fruits frais et un filet de sirop d'érable.

 À LA MIJOTEUSE

Dans la mijoteuse, mélanger les ingrédients secs. Suivre l'étape 3 en utilisant 375 ml (1 ½ tasse) de boisson de soya et en ajoutant 375 ml (1 ½ tasse) d'eau. Couvrir et cuire 8 heures à faible intensité.

Tapioca au lait de coco

Préparation : 15 minutes • Temps de repos : **2 heures**
Cuisson : **10 minutes** • Quantité : **de 4 à 6 portions**

250 ml (1 tasse)
de tapioca vert ou
blanc (petites perles,
vendues dans les
épiceries asiatiques)
....
500 ml (2 tasses) d'eau
....
1 boîte de lait de coco
de 400 ml
....
250 ml (1 tasse) de sucre
....
3 à 4 gouttes d'essence
de vanille
....
15 ml (1 c. à soupe)
de zestes de lime
....

1. Dans un bol, mélanger le tapioca avec
l'eau. Laisser reposer 2 heures au frais.

2. Égoutter au-dessus d'une casserole de
manière à conserver l'eau de trempage.
Réserver le tapioca.

3. Dans la casserole, fouetter l'eau de trempage
avec le lait de coco, le sucre, la vanille et les
zestes. Porter à ébullition.

4. Incorporer le tapioca et cuire à feu doux
de 5 à 6 minutes. Remuer.

5. Poursuivre la cuisson de 5 à 6 minutes,
jusqu'à ce que le tapioca devienne transpa-
rent. Servir chaud ou froid.

 À LA
MIJOTEUSE
Suivre l'étape 1.
Au moment de la cuis-
son, fouetter le lait de
coco avec le sucre, la
vanille et les zestes dans
la mijoteuse. Ajouter le
tapioca et l'eau de trem-
page. Couvrir et cuire
de 8 à 10 heures à faible
intensité ou de 4 à 5 heures
à intensité élevée, en
remuant à mi-cuisson.

Compote de poires cannelle-vanille

Préparation : **10 minutes** • Cuisson : **10 minutes** • Quantité : **750 ml (3 tasses)**

8 poires Bartlett

15 ml (1 c. à soupe)
de jus de citron

15 ml (1 c. à soupe)
de zestes de citron

125 ml (½ tasse) de sucre

1 petit bâton de cannelle

3 gouttes d'essence
de vanille

125 ml (½ tasse) d'eau

1. Peler et retirer le cœur des poires. Tailler les poires en cubes.

2. Déposer les poires dans une casserole avec le reste des ingrédients. Porter à ébullition à feu moyen.

3. Couvrir et laisser mijoter 10 minutes à feu doux.

4. Réduire en purée, si désiré.

 À LA MIJOTEUSE

Peler et retirer le cœur des poires. Tailler les poires en cubes. Déposer dans la mijoteuse avec le reste des ingrédients. Couvrir et cuire à faible intensité de 4 à 5 heures. Réduire en purée, si désiré.

Index des recettes